Die Sterne

WAS IST WAS BAND 7 — **Das Wetter**

WAS IST WAS BAND 8 — **Das Mikroskop**

WAS IST WAS BAND 9 — **Der Urmensch**

...nde

Der Wilde Westen

WAS IST WAS BAND 19 — **Bienen, Wespen und Ameisen**

WAS IST WAS BAND 20 — **Reptilien und Amphibien**

WAS IST WAS BAND 21 — **Der Mond**

WAS IST WAS BAND 22 — **Die Zeit**

WAS IST WAS BAND 23 — **Architektur**

Insekten

WAS IST WAS BAND 31 — **Bäume**

WAS IST WAS BAND 32 — **Meereskunde**

WAS IST WAS BAND 33 — **Pilze**

WAS IST WAS BAND 34 — **Wüsten**

WAS IST WAS BAND 35 — **Erfindungen**

Indianer

WAS IST WAS BAND 43 — **Heimische und exotische Schmetterlinge**

WAS IST WAS BAND 44 — **Die Bibel** — Das Alte Testament

WAS IST WAS BAND 45 — **Mineralien und Gesteine**

WAS IST WAS BAND 46 — **Mechanik**

WAS IST WAS BAND 47 — **Elektronik**

Die Eisenbahn

WAS IST WAS BAND 55 — **DAS ALTE ROM**

WAS IST WAS BAND 56 — **Ausgestorbene und bedrohte Tiere**

WAS IST WAS BAND 57 — **Vulkane**

WAS IST WAS BAND 58 — **Die Wikinger**

WAS IST WAS BAND 59 — **Katzen**

Geschichte der Medizin

WAS IST WAS BAND 67 — **Die Völkerwanderung**

WAS IST WAS BAND 68 — **Natur erforschen und schützen**

WAS IST WAS BAND 69 — **Fossilien**

WAS IST WAS BAND 70 — **Das alte Ägypten**

Weitere Titel siehe letzte Seite.

Ein  Buch

Hunde

Von Dr. Peter Teichmann

Illustriert von Johann Brandstetter

TESSLOFF

Vorwort

Von allen Lebewesen, die der Mensch zum Haustier machte, wurde nur eines zu seinem Gefährten, der Hund. Diese Partnerschaft ist tief verwurzelt und reicht Jahrtausende zurück. Sie konnte nur entstehen, weil der Hund besonders anpassungsfähig, lernbegabt und anschlussfreudig ist. Der Mensch nahm ihn in den Kreis seiner Familie auf, und der Hund betrachtete „seine" Menschen fortan als sein Rudel.

Bis heute wird der Hund für zahlreiche Dienste genutzt: Als Jagdhund, Wach- und Fährtenhund, Hirten- und Hütehund, als Blindenführhund, vor allem aber als Begleit- und Familienhund.

Wir lieben den Hund um seiner selbst willen. Wir schätzen sein unverfälschtes, offenes Verhalten, seine Anhänglichkeit und die Beständigkeit seiner Zuneigung. Diese Eigenschaften betrachten wir als Tugenden und deshalb bezeichnen wir den Hund gern – vermenschlichend – als „treu". Einen Hund kann man zwar kaufen, doch seine Freundschaft ist nicht mit Geld zu erringen. Sie entsteht auch nicht von selbst, sondern gründet sich auf Vertrauen. Das entwickelt sich erst ganz allmählich: Wir müssen uns täglich mit unserem Hund beschäftigen und viel Geduld aufbringen.

Das vorliegende WAS IST WAS-Buch will Interesse für den beliebten Vierbeiner wecken, die Wahl beim Kauf eines Hundes erleichtern, mit den bekannten Rassen vertraut machen und grundlegende Kenntnisse vermitteln, die für ein gutes und vergnügliches Zusammenleben nützlich sind.

Achim, der Mischlingshund unseres Autors

BAND 11

Die Schreibweise entspricht den Regeln der neuen Rechtschreibung.

Dieses Buch ist auf chlorfrei gebleichtem Papier gedruckt.

BILDQUELLENNACHWEIS:

FOTOS: Alsa Hundewelt, Ihlow OT Riepe: S. 41ur; Archiv Tessloff Verlag: S. 3, 6 Bulldogge, 6 Dingo, 7ol, 7ul, 7ur, 110, 130, 14ul, 14um, 15um, 19or, 21, 22 Doberm., 23ol, 28u, 30 Collie, 32, 33, 34m Dackel, 36ul, 38or, 40/41om, 46or, 46l, 48; Arco digital images: S. 11u, 28m, 29ol, 29ur, 45r; AKG, Berlin: S. 8or, 9or, 9ml, 9ur, 26o, 39ol; Bildarchiv Steffens, Mainz: S. 8ol, 9ol, 9ul; Cinetext: S. 39m Lassie; Cogis, Sonchamp: S. 19 Schnürenpudel, 19 Pudel Wasser, 20ol, 27ur, 28or, 31ol, 37ul, 37mr, 38m, 45ol, 46mr, 46ur, 47 Hintergr.; Corbis: S. 8mr Fallschirm, 8 Exped., 9mr, 9um, 13 Sträfl., 13 Labrador, 13ul, 13 2. von ur, 16ur, 24o, 25o, 27m, 29or, 29mr, 29ml, 35o, 35m, 40/41u, 42l, 43ol, 45ol, 47mr, 47m; DPA, Frankfurt: S. 22u, 31or, 39ul, 40m; Ein Herz für Tiere/Fotograf: S. 18; Focus /SPL, Hamburg: S. 7 Schakal, 8ul Laika; Herz und Schnauze, Schiffmühle: S. 41l; Juniors Bildarchiv, Ruhpolding: S. 7 Rothund, 7 Kojote; 13ur, 14o, 14m, 14ur, 15ul, 15ur, 17, 19ul, 20ur, 22o, 23ur, 25u Kampfh., 30o, 31om, 34o Zertif., 34u, 35ur, 38ur, 42/43o, 43or, 43ur, 44u Tierarzt/verletzt, 47 ol, 47 ur; Laif Bildagentur, Köln: S. 8 ml, 38 ol; Landesdenkmalamt Baden-Württemberg, Hemmenhofen: S. 4; Masterfoods, Verden: S. 41 ul, 41um; Müller, Sigrid: S. 16m; Ullstein Bild, Berlin: S. 20mr, 24u; Zooplus, Unterföhring: S. 43ml.

UMSCHLAGABBILDUNGEN: J. Brandstetter, Corbis, Cogis, Archiv Tessloff

ILLUSTRATIONEN: Johann Brandstetter, Winhöring

GRAFIK: Johannes Blendinger, Nürnberg

Copyright © 2008, 2004 TESSLOFF VERLAG, Burgschmietstraße 2–4, 90419 Nürnberg.
www.tessloff.com • www.wasistwas.de

ISBN 978-3-7886-0251-2

Inhalt

Vorfahren und Familie

Wer sind die Vorfahren der Hunde?

Bei keinem anderen Haustier finden sich so große Unterschiede wie beim Hund. Auf internationalen Hundeausstellungen wird uns die Vielfalt besonders bewusst. Und so könnte man auch heute noch leicht auf den Gedanken kommen, dass die Hunde mehrere Stammväter haben. Früher wurden beispielsweise Schakale wegen einiger körperlicher Merkmale und ihres sandfarbenen Fells als Vorfahren der orientalischen Windhunde betrachtet. Die Herkunft einiger anderer Hunderassen führte man auf Fuchs, Kojote und Hyäne, ja sogar – in der Antike – auf Tiger zurück.

Erst in unserer Zeit kamen Zoologen zu der Erkenntnis, dass es nur einen einzigen Urahnen des Hundes gibt: den Wolf! Einer der zahlreichen Beweise für diese Behauptung stützt sich nicht auf Deutungen von Felszeichnungen oder auf Knochenfunde, sondern ist lebendig und gegenwärtig. Am Institut für Haustierkunde in Kiel gelang es Anfang der 1970er-Jahre, Hunde und Wölfe miteinander zu paaren und Nachkommen zu erzeugen, die ebenfalls untereinander fruchtbar waren. Dies ist nur bei Tierarten möglich, die sehr eng verwandt sind und in ihrem Erbgut weitgehend übereinstimmen. Die Kieler Wissenschaftler nannten die Hunde Puwos, weil ihre Eltern Pudel und Wölfe waren. Die Puwos – im Aussehen eine Mischung von beiden – ähnelten in ihrem Wesen mehr dem Wolf. Sie waren scheu, misstrauisch und schreckhaft und ließen sich anfangs von ihren Betreuern nicht anfassen.

FRÜHER FUND

Der nachweislich älteste Fundort eines Haushundes liegt in Oberkassel bei Bonn. Mit Hilfe des Radiokarbonverfahrens konnte das Alter des Fundes auf 14000 Jahre bestimmt werden. Vermutlich begleitete der Hund rheini-

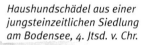

Haushundschädel aus einer jungsteinzeitlichen Siedlung am Bodensee, 4. Jtsd. v. Chr.

sche Jäger der Cromagnonmenschen. Der Fund lässt darauf schließen, dass zwischen Mensch und Hund schon eine enge Bindung bestand, lange bevor es feste Siedlungen gab.

In grauer Vorzeit, als noch keine Menschen unseren Globus besiedelten, entstanden die Urformen der heute vorkommenden, fleischfressenden Raubtiere, der Karnivoren (aus dem Lateinischen von caro = das Fleisch und vorare = verschlingen). Es waren Lebewesen von der Größe eines Wiesels oder Steinmarders, deren Schädel und Gebiss mit den gegenwärtig lebenden Hundeartigen deutliche Gemeinsamkeiten aufwiesen. Forscher nannten sie Miaciden. Sie lebten vor etwa 50 Millionen Jahren und ernährten sich hauptsächlich von Insekten und kleinen Tieren. Aus ihnen gingen im Laufe einer über weitere Millionen Jahre währenden Entwicklung die unmittelbaren Vorfahren aller Kaniden hervor. Unter ihnen war der urtümliche Hesperocyon, der in Größe, Typ und Körperbau dem heutigen Fennek (Wüstenfuchs) sehr nahekommt.

Wolf Fuchs Schakal Wildhund Kojote

Tomarctus
vor 20 Mio. Jahren

Hesperocyon
vor 30 Mio. Jahren

Miacis
vor 50–60 Mio. Jahren

Wie man aus fossilen Ausgrabungen weiß, befand sich das Zentrum der stammesgeschichtlichen Entwicklung der Hundeartigen in Nordamerika. Sie gelangten vor sieben Millionen Jahren über die damals bestehende Landverbindung vom amerikanischen Kontinent nach Ostasien. Von dort verbreiteten sie sich mit großem Artenreichtum in der Alten Welt bis nach Europa. Als Stammvater der Kaniden betrachten Wissenschaftler einen vor fünf Millionen Jahren lebenden „Urhund", dem sie die Bezeichnung Tomarctus gaben. Auf ihn führten sie die Wurzeln der gegenwärtig noch zahlreichen Arten an Wölfen, Füchsen, Schakalen, Kojoten und Wildhunden zurück, wenngleich einige von ihnen auch vom Aussterben bedroht sind. Erst am Ende dieser Entwicklung entstanden aus Wölfen unsere Haushunde.

Am Anfang war nur die Jagd. Menschen und Wölfe betrachteten einander als Nahrungskonkurrenten.

Wann wurden Wölfe zu Hunden?

Seit Millionen von Jahren lebten in allen Regionen unserer Erde zahlreiche Unterarten der Wölfe, wie Polar-, Grau- oder Rotwölfe, die sich in ihrem Aussehen deutlich voneinander unterschieden. Viele Arten gibt es heute nicht mehr, andere sind vom Aussterben bedroht. Die später so vielfältige Familie der Hunde wurde nicht nur von einem einzigen Wolfspaar begründet. An vielen Orten der Erde vollzog sich unabhängig voneinander und zeitlich um Jahrhunderte getrennt die Entwicklung vom Raubtier Wolf zum „Hauswolf" und irgendwann von diesem zum Haustier Hund. Die allmähliche, aber vom Menschen gezielte beeinflusste Umwandlung von Wildtieren zu Haustieren wird als Domestikation bezeichnet (von lateinisch domesticus = zum Haus gehörig).

Wo der Wolf aufhörte und wo der Hund begann, lässt sich nicht sagen. Wir wissen nur, es geschah in der Jungsteinzeit, vielleicht sogar schon in der Mittelsteinzeit. Die damaligen, vor 15 000 Jahren lebenden Menschen ernährten sich von der Jagd. Ihre Waffen und Werkzeuge stellten sie aus Steinen und Knochen her. Sie lebten nicht mehr in Felshöhlen, sondern wohnten in Hütten oder in Zelten aus Tierhäuten. Den stets hungrigen Wölfen begegneten die steinzeitlichen Jäger keineswegs freundlich. Für sie waren es gefährliche Nahrungskonkurrenten.

Und dennoch konnte sich aus solch einem gespannten Verhältnis zwischen Mensch und Wolf eine Partnerschaft zu gegenseitigem Nutzen entfalten, deren Ergebnis schließlich der Hund als „treuester Freund des Menschen" war.

Zu den ältesten Skeletten von Haushunden gehören Funde im Nordostirak. Die Tiere haben dort um 12000 v. Chr. gelebt. Der Hund ist somit das älteste unserer Haustiere. Die Zähmung von Schaf und Ziege begann um 8800 v. Chr.; Rind, Schwein und Pferd folgten später.

Wolf und Bulldogge, beide gleichen Ursprungs? Kaum zu glauben, aber wahr!

Welche waren die ersten Hunderassen?

Auf der Suche nach Resten von Pfahlbauten aus der Jungsteinzeit an Seeufern in der Schweiz stießen Archäologen bei Ausgrabungen in tiefen Erdschichten auf Knochen vorgeschichtlicher Hunde. Auffallend war ein kleiner runder Schädel, der mit seinem kurzen Fang an den heutigen Spitz erinnerte. Man bezeichnete diese Tiere deshalb als Torfspitz.

Der Torfspitz war gewiss schon ein Haustier, denn die im Wasser stehenden Pfahlbauten waren nur schwimmend oder mit einem Boot zu erreichen. Manche Hundeforscher betrachteten ihn daher als Urahnen der Spitze und als eine der ältesten Hunderassen. Noch heute soll es bei den Battakern, einem Volksstamm auf Sumatra, kleine ringelschwänzige Hunde geben, die dem Torfspitz sehr ähnlich sehen.

In der Nähe von Seen und Flüssen Nordeuropas fand man zwischen unzähligen Muschelschalen die fossilen Überreste von Hunden, die sich unter anderem durch einen stärkeren Knochenbau vom Torfspitz unterscheiden. Aufgrund anatomischer Untersuchungen hielten Wissenschaftler diesen „Hund der Muschelesser" für einen unmittelbaren Nachkommen des mitteleuropäischen Wolfes.

Das waren nicht die einzigen Funde. Auf allen Erdteilen entdeckten Forscher Reste frühzeitlicher Haushunde, die sie Aschen-, Bronze-, Lager- oder Langkopfhunde nannten. Niemand weiß, wie sie aussahen, aber gerade das Aussehen ist bei Hunderassen ein wichtiges Unterscheidungsmerkmal. Die Bezeichnung Rasse ist daher für diese Hunde nicht angebracht. Rassen lassen sich nur so weit zurückverfolgen, wie es genaue Aufzeichnungen hierüber gibt. Wir können diese Tiere demnach auch nicht als Urväter heutiger Hunderassen ansehen.

Wann begann der Mensch mit der Hundezucht?

Von den bescheidenen Anfängen einer Zucht von Hunderassen kann erst seit 7000 bis 5000 v. Chr. gesprochen werden. Der Begriff Rasse stammt aus dem Arabischen und gelangte im

Schon seit Jahrtausenden leben Dingos in Australien, doch bis heute bleibt es ein Rätsel, woher sie kamen und wie sie auf den Kontinent gelangten. Es gilt als erwiesen, dass es verwilderte Haushunde sind. Dingos bellen nicht, sie verständigen sich durch Knurren, Heulen, Jaulen oder Winseln. Im Rudel sind Dingos stark und jagen sogar Kängurus. Ihr ausgeprägter Jagdtrieb hat

ihnen die Feindschaft der Schafzüchter eingebracht. Diese sehen sie als Plage an, die ihre Existenz bedroht, und verfolgen sie erbarmungslos.

HUNDESCHAU

Zum Maßstab der Beliebtheit einer Hunderasse gehört auch heute noch die Cruft's Dog-Show in London, die Besucher aus aller Welt anzieht. Die erste deutsche Hundeausstellung wurde 1863 in einer Hamburger Turnhalle nach englischem Vorbild ausgerichtet.

17. Jahrhundert nach Europa. Die Araber verwendeten das Wort „ras" (Ursprung, Geschlecht) für die von ihnen gezüchteten Vollblutpferde.

Unter einer Rasse versteht man heute eine bestimmte Gruppe von Tieren innerhalb einer Tierart, die sich im Aussehen und in ihren Eigenschaften weitgehend ähneln und ihre kennzeichnenden Merkmale auf ihre Nachkommen vererben. Durch diese Merkmale unterscheiden sie sich grundlegend von anderen Rassen.

Eine planmäßige und zielstrebige Hundezucht begann erst Mitte des vorigen Jahrhunderts. Die meisten Rassen entstanden damals und in den nachfolgenden Jahrzehnten. Ihre Züchter gründeten Vereine und führten Zuchtbücher, in die sie die Elterntiere und deren Nachkommen eintrugen. Sie einigten sich über die typischen Merkmale der von ihnen gezüchteten Rasse und legten diese in einer ausführlichen Beschreibung, dem Standard, fest. Auf Hundeschauen hatten die Züchter Gelegenheit, ihre Hunde vorzustellen. Die Besten einer jeden Rasse wurden von einer Jury ausgezeichnet. Die erste Hundeschau fand 1859 in Newcastle, England, statt.

VERWANDTE DES HUNDES

Unsere Haushunde zählen zur zoologischen Familie der Hundeartigen, der Kaniden, abgeleitet von dem lateinischen Wort für Hund: canis. Wildhunde gehören zur gleichen Familie, aber sie haben sich ihre Selbstständigkeit bewahrt und leben in freier Wildbahn. Einige Arten sind heute vom Aussterben bedroht. Doch noch gibt es etwa 30 Arten auf allen Kontinenten. Manche ihrer Vertreter, wie Rotfuchs, Wolf und Schabrackenschakal, sind uns geläufig. Kojoten, auch als Präriewölfe bezeichnet, kennen wir aus Indianergeschichten. Sie sind hauptsächlich in Nordamerika verbreitet und paaren sich manchmal auch mit Haushunden. Die Nachkommen dieser Verbindung werden Coydogs genannt. Weniger bekannt ist der Asiatische Wildhund, der Rothund. Er kommt unter anderem in Indien, Südostasien und Russland vor. Er gibt pfeifende Laute von sich, die indische Jäger nachahmen, um ihn anzulocken. Afrikas Wildhunde besiedeln die Savannen und Grassteppen vom Sudan bis zum Kap. Wegen ihrer großen Ohrmuscheln nennt man sie auch Hyänenhunde. Sie sind hervorragende Jäger und gelten als gnadenlose Killer. Aber dieser Ruf ist unbegründet. Sie töten hauptsächlich kranke und schwache Tiere. Diese Auslese stärkt die Lebenskraft der Wildherden. Innerhalb der Kanidenfamilie stellen die Afrikanischen Wildhunde mit ihrem Sozialverhalten eine besondere Ausnahme dar: Nach einem erfolgreichen Jagdzug werden alte und verletzte Gefährten vom Rudel mitversorgt.

Kojote

Schabracken-
schakal

Afrikanischer
Wildhund

Rotfuchs-
welpe

Fennek

Rothund

AUS DER GESCHICHTE DES HUNDES

Für die Bewachung ihrer Wohnsitze ließen wohlhabende Römer in der Antike vor allem schwarze Molosser-Doggen abrichten, denn diese waren im Dunkeln nicht so leicht zu erkennen.

WÄCHTER UND BESCHÜTZER

Als Warnung für Ungebetene stand an der Schwelle mancher Haustüren in großen Buchstaben: Cave canem! Diese lateinischen Worte bedeuten: Hüte dich vor dem Hund!

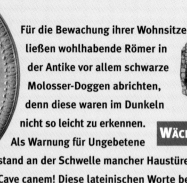

Diese römische Münze (um 530) zeigt einen Ziegenhirten mit seinem Hund.

Wachhund an der Leine. Mosaik aus Pompeji, 1. Jh. n. Chr.

Schon im Altertum wurden Hunde für kriegerische Zwecke missbraucht. Die Kelten versahen sie mit Schutzpanzern und richte-

KRIEGSEINSATZ

ten sie darauf ab, Menschen anzugreifen. Auch in heutiger Zeit will man beim Militär auf die Dienste von Hunden nicht verzichten. Bereits 1848 wurde in Deutschland die erste Armeehundeschule gegründet. Die ausgebildeten Vierbeiner gelangten als Meldegänger, Sanitäter, Kabelleger und Minensucher zum Einsatz. Oft wurden sie das Maskottchen der Truppe.

In Afghanistan wurden 2002 Minensuchhunde eingesetzt.

In Kanada wurden 1944 Schlittenhunde mit Fallschirmen abgeworfen, um abgestürzte Piloten zu retten.

Ohne Schlittenhunde wären die Expeditionen in die Antarktis um 1900 nicht möglich gewesen.

Viele Erkenntnisse in Wissenschaft und Forschung wären ohne die Hilfe von Hun-

IN DER FORSCHUNG

den nicht zustande gekommen. Leider büßten dabei auch unzählige Tiere ihr Leben ein. Der amerikanische Polarforscher Robert Peary gestand: „Unsere Hunde haben den Pol erobert!" Er gelangte 1909 mit 133 Schlittenhunden zum Nordpol. Auf ganz andere Weise sorgte 1957 das russische Hündchen Laika für weltweites Aufsehen: Es wurde im Erdsatelliten Sputnik II ins All geschossen. Laika vertrug die Schwerelosigkeit sehr gut, konnte aber leider nicht zur Erde zurückkehren. Der Versuch bewies jedoch, dass Raumflüge auch für Menschen möglich waren.

Die Hündin Laika war 1957 das erste Lebewesen im Weltall.

Renoir porträtierte 1878 eine Dame mit ihren beiden Kindern und einem großen Hund.

IN DER KUNST

Seit Menschengedenken ist der Hund Gegenstand und Motiv in Kunst und Literatur. Schon vor mehr als 2000 Jahren schrieb der griechische Schriftsteller Xenophon Bücher über Jagdhunde. Ab dem Mittelalter trat der Hund vor allem als Statussymbol in Erscheinung, um Macht und Glanz des Adels hervorzuheben. Besonders Windhunde und Pointer wurden auf Ölgemälden dargestellt. Mitte des 16. Jahrhunderts gelangte der Mops nach Europa. 200 Jahre später entstand ein regelrechter Mopskult.

In diesem Bild von Lucas Cranach d. Ä. von 1514 ist der Hund auch ein Zeichen von Macht und Status seines adeligen Besitzers.

HUNDEKÄMPFE

Im 13. Jahrhundert entstand in England eine seltsame Volksbelustigung: das Bullenbeißen. Kräftige Hunde mussten Stiere an der Nase packen und zu Boden zwingen. Dafür benötigte man Hunde von niedrigem Wuchs, die den Hörnern des Bullen entgehen konnten. Eine zurückliegende Nase sollte dem Hund beim Festhalten ein unbehindertes Atmen ermöglichen. So entstand die Englische Bulldogge. An deutschen Fürstenhöfen wurden Vorführungen veranstaltet, bei denen Hunde auf Bären gehetzt wurden. Im 19. Jahrhundert wurden die grausamen „bullfights" und das Bärenhetzen verboten. In England wurde nun ein anderer blutiger Wettstreit populär: der Kampf Hund gegen Hund.

Die Abrichtung von Hunden zur Bärenjagd um 1340 (Buchmalerei)

Im 19. Jahrhundert begeisterten grausame Tierkämpfe viele Menschen, hier auf dem Hinterhof einer Fabrik.

AUF DER JAGD

Zeichnungen in Höhlen und an Felswänden erinnern daran, dass Hunde schon vor Jahrtausenden Jagdgehilfen des Menschen waren. Die große Zeit der Jagdhunde begann jedoch mit den ersten Frankenkönigen im 4. Jahrhundert. Sie eigneten sich große Ländereien an, in deren Wäldern nur der König und dessen Vasallen jagen durften. Im 18. Jahrhundert erreichten Hetzjagden mit Lauf- und Windhunden ihren Höhepunkt. Sie dienten vor allem dazu, den Prunk des Hofes zur Schau zu stellen.

Ein Jagdknecht verfolgt Wild mithilfe eines Spürhundes (Buchmalerei, um 1407).

Ein indischer Radscha mit seinem Gefolge auf der Jagd (um 1834)

Auf dem keltischen Trinkgefäß jagt ein Hund einen Wasservogel (4. Jh. v. Chr.).

9

Bewegungsphasen im Galopp eines Schäferhundes. Der Galopp geht mit einem Verlagern des Körperschwerpunkts einher. Im Sprung schleudern die Hinterbeine den Rumpf nach vorn, wo er von den Vorderbeinen aufgefangen wird.

Körperbau und Sinne

Wie viele Knochen besitzt ein Hund?

Die Anatomie ist bei allen Hunden gleich. Ob klein oder groß, alle Rassen haben die gleiche Anzahl Knochen: insgesamt 256. Auch die Zahl der verschiedenen Muskeln stimmt bei allen Rassen überein. Dennoch gibt es bei keiner anderen Tierart eine größere Vielfalt an Aussehen und Gestalt. So ist der Brustkorb eines Rottweilers breit und tief, der eines Windhundes ist hingegen lang und flach.

Sehr unterschiedlich sind auch die Schädelformen, die von den extrem kurzschnauzigen Hunden wie Mops und Bulldogge über die normalschnauzigen wie Dalmatiner oder Retriever bis zu den langschnauzigen Rassen wie Collie und Schäferhund reichen.

Wie ausdauernd sind Hunde?

Hunde sind von Natur aus Lauftiere. Ihre normale Fortbewegungsart ist der Trab. Wir können da nicht mithalten. Bringen wir unserem Hund nicht bei, gehorsam „bei Fuß" zu gehen, so zieht er uns an der Leine, weil wir ihm zu langsam sind. Lassen wir ihn frei laufen, legt er unseren Weg zwei- oder dreimal zurück. Die meisten Hunde sind sehr ausdauernd. Vorstehhunde laufen mitunter an einem Jagdtag bis zu 200 Kilometer – nicht weniger als so mancher Hütehund eines Schäfers. Als besonders ausdauernd gelten die Schlittenhunde der Inuit. Auf längeren Strecken bewegen sich gesunde, mittelgroße Hunde vorwiegend im Trab mit acht bis zehn Kilometern pro Stunde.

AUSDAUER

Schlittenhunde können beeindruckende Strecken zurücklegen. Das härteste Schlittenhundrennen der Welt ist der Yukon Quest, von Fairbanks in Alaska nach Whitehorse in Kanada: über 1800 Kilometer. Es führt über weite eis- und schneebedeckte Ebenen, zugefrorene Flüsse und schroffe Gebirgszüge und verlangt dabei sowohl dem Schlittenlenker als auch dem Hundegespann das Äußerste ab.

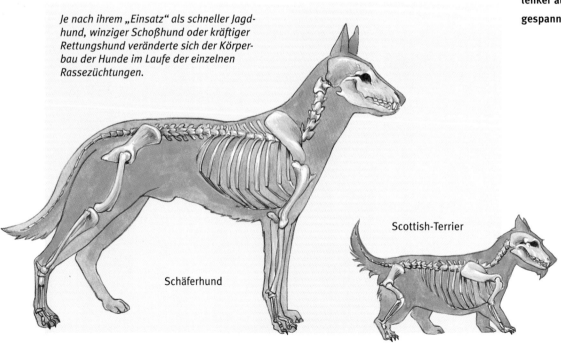

Je nach ihrem „Einsatz" als schneller Jagdhund, winziger Schoßhund oder kräftiger Rettungshund veränderte sich der Körperbau der Hunde im Laufe der einzelnen Rassezüchtungen.

Scottish-Terrier

Schäferhund

HECHELN

Im Unterschied zu uns Menschen hat der Hund, mit Ausnahme an den Sohlenballen, keine Schweißdrüsen. Daher kann er nicht schwitzen. Beim Hund, wie bei Fuchs,

Wolf und anderen Kaniden, erfolgt die Abkühlung durch das Hecheln. Mit geöffnetem Fang und heraushängender Zunge wird durch schnelle Atemstöße kühle Luft eingeatmet und erwärmte Luft ausgeatmet. Die drüsenreichen Schleimhäute von Nase, Mundhöhle und Zunge sorgen für die erforderliche Feuchtigkeit. Diese spielt im Übrigen auch für das enorme Geruchsvermögen des Hundes eine Rolle und bewirkt, dass der Nasenspiegel immer feucht bleibt.

Wie erkennt ein Hund seine Umwelt?

Ein Hund erlebt die Umwelt völlig anders als wir. Für ihn besteht sie aus einer für uns unvorstellbaren Vielfalt von Gerüchen. Auf der Straße interessieren ihn nicht die bunten Reklamen, die Auslagen in den Schaufenstern, die vielen vorbeifahrenden Autos, sondern die tausenderlei Gerüche, die von Menschen, Geschäften und Gegenständen ausgehen. Besonders anziehend sind natürlich geruchliche Signale von Artgenossen. Deshalb beschnuppern Hunde vor allem Bäume, Laternen und Hausecken.

Hunde „sehen" mit der Nase! Der Verlust des Sehvermögens würde sich für den Hund weniger nachteilig auswirken als der des Geruchssinnes. Mit seiner Hilfe orientiert er sich. Er behält Gerüche in Erinnerung und kann sie vermutlich sogar im Traum erleben.

Mit der Nase erkennt der Hund alle Dinge, die für ihn wichtig sind. Ob er es mit Freund oder Feind zu tun hat, ob etwas für ihn bekömmlich ist oder ob sich eine läufige Hündin in der Nachbarschaft befindet. Doch noch empfindlicher ist die Hundenase für Buttersäure, einen Bestandteil des menschlichen Schweißes. Hunde riechen Buttersäure noch in millionenfacher Verdünnung. Die Riechfläche der Nasenschleimhaut des Hundes ist dreißig- bis vierzigmal größer und hundertmal stärker als die von uns Menschen. Auf ihr befinden sich 220 Millionen Riechzellen; bei uns sind es nur fünf Millionen.

Die wichtigsten Körperteile eines Hundes am Beispiel eines Setters

Fang
Nasenrücken
Stop (Stirnabsatz)
Genick
Lefzen (Lippen)
Widerrist
Rücken
Lende
Kruppe
Rute (Schwanz)
Vorbrust
Ober-schenkel
Flanke
Oberarm
Unterbrust
Sprung-gelenk
Unterarm
Ellenbogen-gelenk
Unter-schenkel
Vorderpfote
Hinterpfote

Wie gut hören Hunde?

Wir wundern uns mitunter darüber, dass der in seinem Körbchen schlummernde Vierbeiner plötzlich die Ohren spitzt und seinen Kopf zur Wohnungstür richtet, noch bevor die Klingel ertönt oder jemand hereinkommt. Er hat schon einige Zeit vor uns Geräusche wahrgenommen. Hunde haben nicht nur eine feinere Nase als wir, sie hören auch viel besser. Sie können einzelne Töne deutlich voneinander unterscheiden und auch sehr genau feststellen, aus welcher Richtung sie kommen. Hierbei kommen ihnen, vorausgesetzt, sie haben Steh- und keine Schlappohren, ihre Ohrmuscheln als bewegliche Schalltrichter zugute.

Hunde lernen bald, für sie wichtige oder interessante Geräusche von nebensächlichen zu unterscheiden. Laute Musik oder Lärm empfinden sie zwar als störend, aber sie reagieren kaum darauf. Ein ungewohntes Geräusch in ihrer unmittelbaren Umgebung erweckt hingegen sofort ihre Aufmerksamkeit.

Hunde nehmen auch Töne sehr hoher Schwingungszahl wahr. Da Töne einer Frequenz von 20 000 Schwingungen pro Sekunde für den Menschen unhörbar sind, bezeichnet man sie als Ultraschall (lateinisch ultra = jenseits). Beim Hund reicht der obere Hörbereich bis zu 40 000 Schwingungen pro Sekunde. Er wird noch von der Katze übertroffen, die mit 50 000 Schwingungen pro Sekunde mit dem Hörvermögen von Fledermäusen wetteifern kann.

Warum kann ein Hund in der Dämmerung noch sehen?

Im Vergleich zu Geruch und Gehör ist das Sehvermögen eines Hundes weniger gut entwickelt – ein Erbe seines Stammvaters, der ein Dämmerungsräuber ist. Erst mit Einbruch der Dämmerung geht der Wolf auf Beutesuche. Die Augen müssen dann vor allem Bewegungen erkennen und das Restlicht ausnutzen können. Für das Dämmerungssehen weist der Aufbau des Augenhintergrundes eines Hundeauges eine Besonderheit auf: Hinter der Netzhaut befindet sich eine glänzende Gewebsschicht, das Tapetum lucidum, die wie ein Spiegel einfallende Lichtstrahlen zurückwirft. Die lichtempfindlichen Zellen der Netzhaut werden hierdurch zweimal von den Lichtstrahlen getroffen und können schwaches Licht besser ausnutzen. Das ist zugleich auch der Grund, weshalb die Augen des Hundes – wie die von Katzen – in der Dunkelheit leuchten, wenn sie vom Scheinwerferlicht entgegenkommender Fahrzeuge getroffen werden.

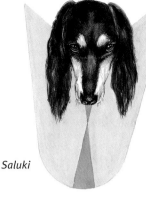

Saluki

■ einäugiges Sehen
■ beidäugiges Sehen

Boston Terrier

SEHBEREICH

Der Blickwinkel eines Hundes richtet sich nach dem Sitz der Augen. Je weiter seitlich sie sich am Kopf befinden, desto größer ist er. Für das räumliche, beidäugige Sehen ist das hingegen weniger günstig.

Ohrenformen bei verschiedenen Hunderassen, von links nach rechts: Schäferhund, Cockerspaniel, Dalmatiner, Foxterrier, Englische Bulldogge

Stehohr

Schlappohr

Hängeohr

Kippohr

Rosenohr

SUCH- UND FÄHRTENHUNDE

Bernhardiner halfen früher bei der Bergung von Lawinenopfern.

Ein Labrador rettet Ertrinkende.

Schon im Altertum haben die Menschen das außergewöhnliche Riechvermögen von Hunden erkannt und genutzt, beispielsweise beim Aufspüren von Wild, aber leider auch beim Verfolgen flüchtender Menschen. Später wurden vor allem Bluthunde zur Verfolgung von Sklaven eingesetzt, die von Plantagen in den nordamerikanischen Südstaaten geflohen waren.

In China wurden bereits vor Jahrhunderten besonders abgerichtete Schnüffelhunde für die Suche nach geschmuggeltem Opium eingesetzt. Heute sind solche Spezialisten den Zollbeamten mehr denn je unentbehrliche Gehilfen. Ihnen entgeht weder Rauschgift noch Sprengstoff in einer dicht verschlossenen Dose oder im ausgehöhlten Absatz eines Schuhs. Andere vierbeinige Geruchsexperten melden das Ausströmen von Gas, selbst wenn die undichten Rohre tief in der Erde liegen. In Finnland bedient man sich der

Spürhunde wurden zur Verfolgung entflohener Sträflinge eingesetzt.

feinen Hundenase zum Auffinden von Erzlagern. Nach Schätzen ganz anderer Art lassen Franzosen und Italiener ihre Hunde suchen – nach Trüffeln. Diese knolligen Pilze, von Feinschmeckern auch als „schwarze Diamanten der Küche" bezeichnet, wachsen tief in der Erde. Für all diese Aufgaben bedarf es keiner Rassehunde; gut veranlagte Mischlinge sind ihnen ebenso gewachsen.

Auf der Suche nach in den Bergen Verirrten oder nach Lawinenopfern verwendete man drei Jahrhunderte lang Bernhardiner. Der Berühmteste von ihnen, der legendäre Barry, rettete 41 Menschen. Er starb 1814. In unserer Zeit erfüllt der Deutsche Schäferhund diese Aufgabe, er bewährt sich aber auch bei der Suche nach Verschütteten nach einem Erdbeben.

Für Kriminalisten sind gut ausgebildete Hunde, gleich welcher Rasse, unersetzbare Helfer, obwohl auch hier der Deutsche Schäferhund bevorzugt wird.

Alle nehmen mit sicherem Gespür auch unter sich kreuzenden Fährten die richtige auf und verfolgen sie, gleichgültig, ob sie über Straßen oder Hindernisse hinwegführt. Der Erfolg ist jedoch auch vom Wetter abhängig. Anhaltender Regen und starker Schneefall erschweren die Arbeit.

Trüffel wachsen verborgen unter der Erde.

Welpen-Ausbildung bei der Polizei

Heute haben leichtere Hunde die Bernhardiner bei der Suche nach Verschütteten abgelöst.

Diese beiden gehören zur bayerischen Rettungshundstaffel.

Verhalten

Wie verständigen sich Hunde?

Ein wesentliches Unterscheidungsmerkmal zwischen Mensch und Hund ist die Sprache. Der Mensch als das am höchsten entwickelte Lebewesen ist dank seines Verstandes in der Lage, seine Gedanken zu formulieren und sie anderen durch Worte mitzuteilen. Für ihn ist die Sprache das wichtigste Kommunikationsmittel. Dem Hund sind weder Verstand noch Sprache gegeben. Dennoch lebt er nicht einfach stumm und ausdruckslos dahin. Die Verständigung mit seinen Artgenossen, die erforderlich ist, um das Miteinander zu regeln, erfolgt durch die unterschiedlichsten Laute, durch bestimmte Bewegungen sowie durch Mienenspiel und Haltung. Hunde können ihre Stimmungen und Regungen in vielfältiger Weise zu erkennen geben. Nahezu jede Bewegung ihrer Ohren oder des Schwanzes, ebenso wie der Ausdruck ihrer Augen oder die verschiedenen Körperhaltungen, haben ihre Bedeutung und stellen eine Mitteilung über ihre Gemütsverfassung dar. Der Schwanz gilt als ein sehr deutliches Stimmungsbarometer.

Im Umgang mit Hunden, vor allem mit dem eigenen, ist es für uns sehr nützlich, wenn wir die Lautäußerun-

Das Beschnuppern der Analgegend gehört bei Hundebegegnungen zum Begrüßungsritual. Schon beim ersten Treffen wird hierbei die Rangfolge festgelegt. Manchmal kommt es dabei zu einer Rauferei.

HUNDELAUTE

Von unseren Haustieren hat der Hund den reichsten Lautschatz. Er kann damit all seine Regungen wie Freude, Wohlbehagen, Ungeduld, Unwillen, Schmerz oder Zorn ausdrücken. Neben dem Bellen können Hunde auch knurren, brummen, schniefen, miefen, jaulen oder heulen.

fragend

freudig erregt, übermütig

verlegen, unterwürfig

zurückhaltend, ängstlich

demütig, unterwürfig

neugierig, freudig

Ein Sprichwort lautet: „Hunde, die bellen, beißen nicht." Dies mag zutreffen, denn oft ist lautes Bellen Warnung genug, um Fremde fernzuhalten. Wer diese Warnung missachtet, muss damit rechnen, gebissen zu werden. Der Hund hat das Bellen erst im Laufe der Haustierwerdung gelernt und vervollkommnet. Jeder bellt oder jault auf seine Weise mit individuellen Unterschieden. Wölfe und Wildhunde in freier Wildbahn bellen hingegen nicht oder nur selten. Sie vermeiden es, Aufmerksamkeit auf sich zu lenken.

gen und Verhaltensweisen kennen und wissen, wie wir sie zu deuten haben. Auf diese Weise ist es überhaupt erst möglich, auf einen Hund einzuwirken und eine Beziehung zu ihm zu entwickeln. Wenn wir uns darauf einstellen, werden wir überrascht sein, was er alles mitzuteilen hat und wie „gesprächig" er sein kann.

Von Menschen, die sich ständig streiten und in den Haaren liegen, sagen wir: „Sie verhalten sich wie Hund und Katze." Gibt es wirklich eine angeborene unversöhnliche Feindschaft zwischen diesen beiden Tierarten? Unzählige Beispiele einträchtigen Zusammenlebens beweisen das Gegenteil. Am günstigsten ist es, wenn man die Tiere von klein auf zusammen aufzieht und aneinander gewöhnt. Oft ergeben sich hieraus für beide Seiten Vorteile. Man wärmt sich gegenseitig im gemeinsamen Lager. Man betreibt Fellpflege und beleckt einander die Ohrmuscheln und die

Verstehen sich Hunde und andere Tiere?

Nackengegend. Der Hund profitiert auf eigene Weise, indem er verschlingt, was in der Futterschüssel der Katze zurückgeblieben ist. Im Übrigen kennen Katzen im Unterschied zum Hund keinen Futterneid. Auch in freier Natur stellen Hund und Katze keine Nahrungskonkurrenten dar.

Gemeinsame Ausflüge ins Revier vertiefen bei freiem Auslauf die „Freundschaft". Selbst eine Jagd auf Mäuse wird manchmal zu beiderseitigem Vergnügen gemeinsam unternommen. Bei Begegnungen mit fremden Hunden oder anderen unfreundlich gesinnten Lebewesen kann der Schutztrieb ihres Begleiters der Katze zustattenkommen.

In ländlichen Gegenden stellen Hunde für andere Katzen meist keine Gefahr dar. In den Dörfern und Gehöften kennen sie einander und respektieren sich gegenseitig. Kommt es doch einmal zu Tätlichkeiten, so wissen sich die meisten Katzen sehr gut ihrer Haut zu wehren. Manch handgreiflich belehrter Hund vergisst die ihm erteilte Lektion nicht und ist künftig Katzen gegenüber etwas vorsichtiger.

beunruhigt, ängstlich

drohend

wütend

aggressiv, warnend

aufmerksam, freundlich interessiert

Aufforderung zum Spielen

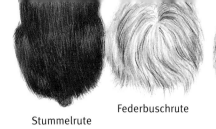

Stummelrute Federbuschrute Ringelrute Schwertrute Säbelrute

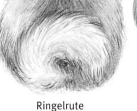

Rutenformen verschiedener Hunderassen, von links: Schipperke, Pekinese, Akita Inu, Schäferhund, Weimaraner

Es liegt in der Natur des Hundes, Katzen zu jagen, so wie alles Flüchtende seinen Hetztrieb herausfordert. Umgekehrt scheint es auch Katzen Vergnügen zu bereiten, gejagt zu werden. Voraussetzung ist natürlich bei diesem Haschespiel, dass es nicht mit einer Beißerei endet.

Besitzt eine Katze – entgegen der üblichen Spielregel – den Mut, sitzen zu bleiben und das weitere Verhalten ihres Verfolgers abzuwarten, so weiß dieser meist nicht, was er nun anfangen soll. In der Regel löst

Die Begegnung des Junghundes mit der Katze hat seine Neugier geweckt. Vermutlich hat er noch keine schlechten Erfahrungen gemacht, sonst würde er ihr nicht so nahe kommen.

er diesen Konflikt mit einer „Verlegenheitsgeste": Er hebt ein Hinterbein an und setzt mit einem Urinstrahl seine Duftmarke. Auch lautes Bellen – in sicherem Abstand – trägt dazu bei, dass er seine Erregung abbauen kann.

Können Hunde träumen?

Ein Sprichwort lautet: „Schlafende Hunde soll man nicht wecken!" Es kommt tatsächlich häufig vor, dass Hunde, die aus tiefem Schlaf geweckt werden, zuschnappen. Selbst wenn dies nicht geschieht, sind sie zumindest für kurze Zeit benommen und unorientiert, bis sie sich wieder gefasst haben. Ob sie sich gerade in einem Albtraum befanden, lässt sich nicht sagen. Es besteht aber kein Zweifel, dass auch Hunde träumen. Zeichen dafür sind lebhafte Bewegungen mit den Beinen, Schwanzbewegungen und Zuckungen des Körpers. Oft geben sie auch Laute wie Miefen, Knurren oder Bellen von sich.

Wissenschaftler haben festgestellt, dass es, ähnlich wie beim Menschen, auch bei Hunden zwei verschiedene Schlafphasen gibt. Die eine ist ein ruhiger, traumloser Schlaf, aus dem sie bei Störungen schnell erwachen. Die andere nennt man den „aktiven" Schlaf wegen der damit verbundenen völligen Entspannung des Körpers. In diesem Zustand können Hunde über Stunden mehrere Träume haben, sicherlich nicht nur angenehme. Gern wüssten wir, was und wovon sie träumen. Leider können sie es uns nicht mitteilen. So wird es wohl immer ein Geheimnis bleiben.

Ob der Weimaraner gerade etwas Schönes träumt?

1. Woche, die Welpen schlafen

2. Woche, Trinken mit offenen Augen

3. Woche, Spielen und Toben

Geburt von Kromfohrländern

4. Woche, Gewöhnung an Welpenmilch

EIN WELPE WÄCHST AUF

9. Woche, der erste Spaziergang an der Leine

Neugeborene Hundekinder erblicken nicht „das Licht der Welt". Ihre Lidspalten sind noch geschlossen. Auch werden sie taub geboren, obwohl sie bereits piepsende Laute von sich geben. Auf dem Bauch kriechend und mit pendelnden Kopfbewegungen suchen sie nach der mütterlichen Milchquelle. Ihr Tastsinn hilft ihnen, die Zitzen zu finden. In den ersten Lebenstagen haben die Jungen nur zwei Bedürfnisse: Schlafen und Saugen. Ihr Geschäft können sie noch nicht ohne Unterstützung durch die Mutter verrichten. Deshalb beleckt diese ihre Säuglinge ständig am Bauch und im Analbereich, um die Blasen- und Darmentleerung anzuregen. Mit etwa 14 Tagen öffnen sich die Augenlider. Neben dem allmählich zunehmenden Sehvermögen entwickelt sich auch das Gehör. Die Umwelt wird wahrgenommen und mit tapsigen Bewegungen erkundet. Alles wird ausgiebig beschnüffelt und beknabbert.

Die Welpen wachsen zusehends und haben nach drei Wochen ihr Geburtsgewicht schon verdreifacht. Nun braucht die Hündin das Lager nicht länger sauber zu halten. Wo sie die Möglichkeit hat, führt sie ihre Jungen zum Lösen ins Freie. So wer-

den sie häufig von allein stubenrein. Mit vier Wochen sind sie quicklebendig und beginnen, miteinander zu spielen. Die jetzt folgende Zeit ist für den Hund und seine charakterliche Entwicklung von großer Bedeutung: Er gewöhnt sich an seine Artgenossen und den Menschen. Was er in dieser Phase lernt, vergisst er nie wieder. Sie wird daher als Prägungsphase bezeichnet. Es ist gut für ihn, wenn er jetzt die Bekanntschaft mehrerer Menschen macht und nicht nur auf eine Person festgelegt wird. Er soll von Anfang an lernen, dass Menschen seine Freunde sind, denen er vertrauen kann.

Im Alter von acht bis zwölf Wochen ist es an der Zeit, den Welpen von der Mutter und seinen Geschwistern zu trennen und ihn in eine Menschenfamilie aufzunehmen.

Die Erziehung sollte mit viel Lob und wenig Zwang verbunden sein und möglichst im Spiel erfolgen. Je mehr Abwechslung das Spiel bietet, desto besser wird sich der kleine Zögling entwickeln. Tägliche Spaziergänge, öfter auch einmal in eine ihm noch unbekannte Gegend, festigen die Bindung zwischen ihm und seinem Herrchen. Beim Spazierengehen sollte er auch mit anderen Hunden zusammenkommen. So kann er mit Artgenossen Kontakt aufnehmen. Durch gegenseitiges Beschnuppern wird überprüft, ob man „sich riechen kann" und wie man sich künftig zueinander verhält.

Mit dem vierten Lebensmonat endet das Welpenalter und es beginnt ein neuer Abschnitt in der Entwicklung des Junghundes. Unter Gleichaltrigen in der Meute entscheidet sich die Rangfolge. Es wird festgelegt, wer zu bestimmen hat. Nicht anders verhält es sich bei unserem Hund in der Familie. Er betrachtet uns als seine Meutemitglieder und wird versuchen, die Oberhand zu erlangen. Es liegt an unserer Erziehung, für ihn der Ranghöhere zu bleiben. Dann werden wir einen stets gehorsamen Freund an der Seite haben.

Die Vielfalt der Hunderassen

Alle heutigen Hunderassen haben,

trotz mancher Ähnlichkeit, mit ihren steinzeitlichen Vorfahren nichts mehr zu tun. Die Hunderassen sind kein zufälliges Produkt, keine Laune der Natur. Sie sind von Menschen erdacht und oft langwierig über viele Generationen von Nachkommen verwirklicht worden. Aber sie sind auch wandelbar und vergänglich. Manche starben aus, andere wurden „wiederentdeckt", einige kamen im Laufe der Zeit neu hinzu. Neue Rassen sind jedoch selten. Etwa 400 Hunderassen soll es heute geben.

Wie groß die Anzahl der auf allen Kontinenten lebenden Hunde ist, weiß niemand. Gibt es doch außer den Rassehunden unzählige Mischlinge ohne Stammbaum. Nicht zu vergessen die vielen verwilderten Haushunde, die Parias. Sie leben wie eh und je – hauptsächlich im Orient und in Südamerika – von Abfällen und Tierkadavern.

Die Vielfalt der Hunderassen macht es selbst erfahrenen Hundekennern schwer, sie leicht überschaubar zu ordnen. Allen Mühen zum Trotz ist das bisher noch niemandem überzeugend gelungen. Zu unterschiedlich sind die einzelnen

Ein Paria sucht nach Futter.

Rassen in Herkunft, Aussehen und Charakter, zu vielseitig lassen sie sich verwenden.

In diesem Buch stellen wir im Folgenden nacheinander Pudel, Spitze und Nordlandhunde, Pinscher und Schnauzer, Doggen und Doggenartige, Windhunde, Hirten-, Hüte- und Treiberhunde, Schäferhunde, Jagdhunde, Dachs- und Laufhunde, Terrier sowie Schoß- und Zwerghunde vor.

FELLFARBEN

Bei Wildtieren dient die Farbe des Haarkleides vor allem der Tarnung und somit ihrem Schutz; außerdem ermöglicht sie das gegenseitige Erkennen der Artgenossen. Die breite Palette von Farben und Farbschattierungen bei unseren Haushunden ist hingegen dem züchterischen Einfluss des Menschen zu verdanken und entspricht ausschließlich dessen Geschmack und Vorstellungen.

Die verschiedenen Farben kommen durch einen körpereigenen Farbstoff, ein Pigment, zustande. Er wird als Melanin (griechisch melano = schwarz) bezeichnet.

Wie kam der Pudel zu seinem Namen?

Zottig behaarte, pudelartige Hunde gab es bereits im Mittelalter. Sie waren aus einer Kreuzung zwischen auf Wasserwild spezialisierten Jagdhunden und Hütehunden hervorgegangen. Diese zur Arbeit gezüchteten, wenig schönen Tiere ähnelten unserem heutigen Pudel nur entfernt. Doch von beiden Ahnenteilen erbte der Pudel die guten Eigenschaften: die Gelehrigkeit und die Wendigkeit des Hütehundes, die gute Nase und die Freude an der „Wasserarbeit" der Wasserhunde.

Die Vorliebe des Pudels für Wasser bringt schon sein Name zum Ausdruck. Er leitet sich ab von dem altdeutschen Wort Pfudel = Pfuhl, Pfütze oder auch von pudeln = im Wasser planschen; noch heute sagen wir „pudelnass".

Die bevorzugte Stellung als Familienhund, die der Pudel seit Jahrzehnten genießt, ist nicht allein seinem munteren und zutraulichen Wesen zuzuschreiben, sondern auch seinem hübschen und possierlichen Aussehen. Um allen Ansprüchen zu genügen, wird er in vier verschiedenen Größen gezüchtet, und zwar als Groß-, Klein-, Zwerg- und Toypudel (englisch toy = Spielzeug). Der Toy ist der Kleinste unter den Kleinen. Seine Schulterhöhe beträgt weniger als 28 Zentimeter. All diese Spielarten gibt es in den Farben Weiß, Schwarz, Silber, Braun und Apricot.

Löwenschur

Zwergpudel

SCHURARTEN

Bei der klassischen Schur oder Löwenschur schert man das Hinterteil des Pudels vom Brustkorb bis zu den Sprunggelenken und lässt am Vorderkörper eine dichte „Löwenmähne", an der Rutenspitze eine Quaste sowie an allen vier Läufen breite Manschetten stehen. Diese Schurart war zur Zeit des französischen Königs

Im Hundesalon

Schnürenpudel

Pudel gehen gerne ins Wasser.

Karakulschur

Ludwig XVI. (1754 bis 1793) besonders beliebt. Die moderne Schur gibt es seit 1960. Bei dieser werden die vier Gliedmaßen nicht geschoren, die Rutenquaste darf weggelassen werden. Man nennt sie auch Karakulschur. Nach der Französischen Revolution (1789 bis 1799) kam der Schnürenpudel in Mode. Er wird weder gekämmt noch geschoren, sodass sich die abgestoßenen alten Haare mit den nachwachsenden zu langen, am Körper herabhängenden Schnüren verbinden. Für den richtigen Schnitt sorgen Hundefriseure. Den Beruf des Pudelscherers gibt es schon seit über 200 Jahren.

Keeshonde, auch Barkenspitze genannt, sind die Hunde der holländischen Grachtenschiffer.

Kaum eine andere Hunderasse ist so eng an Haus, Hof und Familie gebunden wie der Spitz. Mit angeborenem Argwohn und laut-

Warum nannte man den Spitz früher Mistbello?

starkem Gebell bewacht er seit alters das Eigentum seines Herrn – den Kahn des Schiffers, den Pferdewagen des Fuhrmanns oder den entlegenen Bauernhof. Im Mittelalter nannte man ihn etwas abwertend Mistbello, denn seine Hütte stand meist auf dem dampfenden Misthaufen.

In späterer Zeit wusste man seine Eigenschaften besser zu schätzen. Man züchtet ihn in verschiedenen Spielarten, die sich in Farbe und Größe voneinander unterscheiden. Der zierliche Zwerg- und der Kleinspitz sind für schwerhörige Menschen besonders geeignet, denn beide melden lautstark jeden Fremden.

Etwas gelassener und weniger bellfreudig ist der Größte aus der Gruppe der Spitze. Wegen seines prachtvollen, wolfsgrauen Haarkleides, das am Hals eine dichte Krause bildet, heißt er Wolfsspitz. Der holländische Keeshond wird gern an Bord von Lastkähnen gehalten; er ist dem Wolfsspitz ähnlich.

Der chinesische Spitz ist der heute allbekannte Chow-Chow.

Woher stammt der Chow-Chow?

Erst gegen Ende des 19. Jahrhunderts gelangte er nach Europa. Zu dieser Zeit erhielt er auch den Namen Chow-Chow, der übersetzt „guter Bissen" oder „lecker, lecker" bedeutet. Der Name weist auf die frühere Nutzung des Chow-Chows in China hin: Er war ein begehrtes Nahrungsmittel. In den südlichen Provinzen des Landes mästete man ihn und brachte ihn lebend im Bambuskäfig auf den Markt.

Wie die meisten seiner Artgenossen fernöstlicher Herkunft ist auch der Chow-Chow ein Sonderling und Einzelgänger unter den Hunden. Zurückhaltung und Eigenwilligkeit sind seine charakteristischen Eigenschaften. Er schließt sich meist nur einem einzigen Menschen an. Im Gegensatz zu seinen europäischen Verwandten bellt er nur selten. Besondere Kennzeichen sind sein stelzender Gang und die heidelbeerfarbene Zunge.

Der norwegische Polarforscher Roald Amundsen erreichte mit Hilfe seiner 52 Grönlandhunde am 15. Dezember 1911 als erster Mensch den Südpol.

Chow-Chow-Welpen haben bei der Geburt eine rosarote Zunge. Erst in den folgenden Lebenswochen wird sie blau.

Der Alaskan Malamute, die „Frachtlokomotive der Arktis", und der Samojede, der Hund mit dem „lächelnden" Gesicht, gehören zu den Schlittenhunden. Auch den Eskimohund, den Grönlandhund und den Sibirischen Husky zählt man dazu (von rechts nach links).

SIEBTER SINN

Wie alle Zughunde des hohen Nordens verfügen auch Huskys über ein ausgeprägtes Orientierungsvermögen. Sie finden sich sogar in der Polarnacht in baumloser Schneewüste zurecht. Diese erstaunliche Leistung gibt einige Rätsel auf. Manche meinen, die Tiere folgten einem Sonnen- und Sternenkompasssystem. Andere Wissenschaftler glauben, sie besäßen einen

Das dichte Fell schützt Polarhunde vor der Kälte.

besonderen, einen „absoluten" Richtungssinn. Sie vermuten, dass sich dieser in den Bogengängen des Innenohrs befindet, die zugleich als Gleichgewichtsorgan dienen. Keine der Theorien konnte bisher bewiesen werden.

Welche Schlittenhunde gibt es?

Arktische Kälte und ein Dasein voller Strapazen und Entbehrungen prägen Charakter und Typ aller Hunde des hohen Nordens. Ihr buschiges Fell mit dichter Unterwolle gibt ihnen ausreichend Schutz und lässt sie Temperaturen von minus 45 Grad Celsius ohne wärmenden Unterschlupf ertragen. Ihr wolfsähnliches Heulen, ihr ungezügeltes Temperament, ihre heftigen Rangkämpfe in der Meute verraten, dass noch Wolfsblut in ihren Adern fließt. Demjenigen, der sich den Platz als Rudelführer und Leithund erkämpft, ordnen sie sich unter. Mit ihm an der Spitze kann der Musher, der Schlittenlenker, ihre Kraft und Ausdauer nutzen und die rauen Gesellen zu überaus leistungsfähigen Schlittenhunden machen.

Im Alter von acht Monaten werden Junghunde zum ersten Mal vor den Schlitten gespannt. Zehn bis zwölf Hunde ziehen gewöhnlich die schwer beladenen Schlitten. Ohne Hundegespanne wären die Besiedlung und Erforschung Alaskas und Grönlands kaum möglich gewesen.

Was sind Nordische Hunde?

Einige Hunderassen wurden in arktischen Regionen und Tundren zu unentbehrlichen Zugtieren. Andere verbreiteten sich vorwiegend in der Taiga sowie dem nördlichen Waldgürtel und entwickelten sich zu vielseitig verwendbaren Jagdhunden. Beide Gruppen werden unter dem Begriff „Nordische Hunde" zusammengefasst.

Von ihrer Verwendung her kann man allerdings keine starren Grenzen zwischen ihnen ziehen und selbst bei den folgsamsten Zughunden bricht mitunter der Jagdtrieb durch. Trotz manch ähnlicher Merkmale, wie der oft vorhandenen Ringelrute, sind sie mit den Spitzrassen nicht verwandt und unterscheiden sich von diesen erheblich in Wesen und Charakter. Dies trifft auch auf die Japanischen Spitze, zu denen man unter anderem den Akita Inu zählt, zu. Die Vorfahren des Akita Inu sollen schon vor sehr langer Zeit von Nordeuropa über China nach Japan gelangt sein. Sie werden als „echte" Nordische Hunde betrachtet.

Die Bezeichnung Pinscher leitet sich aus dem Englischen von to pinch = zwicken, kneifen ab. Sie bringt eine der Eigenheiten dieser Hunde zum Ausdruck: Pinscher schnappen schnell zu und lassen sich nicht gern von jedermann anfassen. Dieses Misstrauen Fremden gegenüber ist kein Nachteil. Selbst der Kleinste unter ihnen, der Rehpinscher, ist keck und mutig; der Affenpinscher ist mitunter sogar ein kleiner Teufel.

Woher stammt der Name Pinscher?

Ungeachtet ihrer Winzigkeit gehen sie jedem ungebetenen Gast ohne Zaudern an die Hosenbeine. Dafür rennen sie nicht jeder Katze oder jedem Kaninchen hinterher. Ihr Jagdtrieb ist nämlich weniger ausgeprägt. Aber keine Regel ohne Ausnahme! Wie kämen sie sonst zu der Bezeichnung Rattler. Als geschickte Mäuse- und Rattenjäger hielten sie früher Ställe, Scheunen und Speisekammern von diesen Nagern frei. Man nannte sie auch Bellferlein, denn ihre Aufgabe bestand – ähnlich den Spitzen – vor allem darin, durch ihr Bellen Fremde zu melden.

Den mittelgroßen (Standard-) Pinscher bekommt man heute selten zu Gesicht. Den Zwergpinscher verkörpert hauptsächlich die besonders beliebte rehbraune Spielart. Dieser sogenannte Rehpinscher belustigt durch seinen trippelnden Gang. Er scheint immer zu frieren; deshalb trägt er draußen häufig ein Hundedeckchen. Sein Vorteil: Er ist pflegeleicht und bequem zu handhaben. Man kann ihn leicht auf Reisen mitnehmen und muss ihn im Urlaub meist nicht in einer Tierpension unterbringen.

PINSCHER
Als gegen Ende des vorigen Jahrhunderts Pinscherfreunde in Deutschland mit der Reinzucht begannen, herrschte hinsichtlich der Typen, Farben und Haararten unter diesen Hunden, die einmal eine Rasse bilden sollten, ein heilloses Durcheinander. So hieß es denn oftmals etwas abwertend: „Was man nicht definieren kann, sieht man gern als Pinscher an!"

Mit kupierten Ohren wirkt ein Dobermann gefährlicher, als es seinem Wesen entspricht.

Wie entstand der Dobermann?

Gegen Ende der sechziger Jahre des 19. Jahrhunderts legte der Abdecker (ein Mensch, der tote Tierkörper vernichtet oder verwertet) Louis Dobermann in Apolda durch Kreuzungen von Pinschern, Weimaranern, Pointern und Vorstehhunden den Grundstein für die Zucht des später

Kleine Pinscher verleiten zum Streicheln, doch ist Vorsicht geboten! Sie schnappen gern.

Diese Fellfarbe eines Schnauzers nennen Züchter „Pfeffer und Salz".

KUPIEREN

Unter Kupieren versteht man das operative Kürzen der Ohrmuscheln und der Rute. Für diese Modeerscheinung gibt es keine praktische oder gesundheitliche Begründung. Deutschland war das Land mit den meisten kupierten Hunderassen. Vielleicht ist dies der Grund, weshalb es so lange dauerte, bis Tierschützer 1986 das Verbot des Ohrenkupierens durchsetzen konnten. Später wurde auch das Kürzen der Rute verboten.

nach ihm benannten Dobermann-Pinschers. Welche Hunde noch zu seiner Entstehung beitrugen, lässt sich nicht sagen, da der rührige Abdecker zugleich das Amt des städtischen Hundesteuereintreibers und des Hundefängers versah. Von denen, die er auf der Straße aufgriff oder auf dem Apoldaer Hundemarkt kaufte, verwendete er die schärfsten Hunde zur Zucht. Und doch ging aus dieser zweifelhaften Mischung Jahrzehnte später ein kraftvoller, überall in der Welt geschätzter Gebrauchshund hervor.

Man sagt diesem Größten unter den Pinschern nach, er sei „falsch", doch dies kann nur behaupten, wer nichts von Hunden versteht. Gewiss, der Dobermann ist kein Hund für jedermann; doch demjenigen, den er als seinen Herrn anerkennt, gehorcht er aufs Wort und ist ihm treu ergeben. Er braucht klare Regeln und Strenge, Nachsicht nutzt er mit Eigenwilligkeit aus.

Woran erkennt man einen Schnauzer?

Im Unterschied zu den glatthaarigen Pinschern (eine Ausnahme bildet der Affenpinscher) haben Schnauzer ein raues, hartes und dichtes Haarkleid. Sie sind gedrungener und wirken durch ihren quadratischen Körperbau robuster. Außerdem fallen die buschigen Augenbrauen und der gebieterische Schnauzbart, dem sie sicherlich

ihren Namen verdanken, auf. Letzterer verleiht den Tieren die für ihre Rasse typische rechteckige Kopfform und den strengen Gesichtsausdruck. Doch Schnauzer sind eher ruhig und bedächtig als angriffslustig. Nur wenn sie sich oder ihr Herrchen bedroht sehen, werden sie zu furchtlosen Draufgängern.

Besonders Respekt gebietend ist der Größte von ihnen, der Riesenschnauzer. Er hat es nicht nötig, andere durch anhaltendes Gebell einzuschüchtern. Da genügt oft schon ein aufmerksamer Blick. Als Diensthund ist er daher dem Dobermann ebenbürtig. Er wird, wie Zwerg- und Mittelschnauzer, in den Farben Schwarz und „Pfeffer und Salz" (Grau) gezüchtet. Der Mittelschnauzer, mitunter auch Standardschnauzer genannt, ist der Schnauzer schlechthin. Aus ihm entstanden sowohl der „Zwerg" als auch der „Riese". Trotz der Größenunterschiede stimmen sie im Äußeren überein. Wie viele kleine Hunde geraten auch manche Zwergschnauzer leicht aus nichtigen Gründen in Erregung und verhalten sich sehr unfreundlich.

Schnauzer sind widerstandsfähig und pflegeleicht. Nur ihr Bart muss gebürstet werden, um Futterreste zu entfernen.

David und Goliath. Ein Papillon wiegt nur Bruchteile einer Deutschen Dogge.

Die Bezeichnung Dogge stammt aus dem Englischen; das Wort dog bedeutet auf Deutsch Hund. Obwohl zu dieser Hundegruppe sehr unterschiedliche Rassen, wie die Deutsche Dogge, der Mastiff, der Mastino Napoletano, die Französische und die Englische Bulldogge, der Boxer und der Mops, gehören, haben sie doch alle einige gemeinsame Merkmale. Es sind kräftige, muskulöse und stämmige Hunde mit Schlappohren (außer der Französischen Bulldogge, dem „Bully") und stumpfem Fang. Vor allem die Großen unter ihnen sind ruhig und ausgeglichen; sie wirken selbstsicher, als wären sie sich ihrer eigenen Kraft bewusst. Sie lassen sich daher auch nicht so schnell aus der Ruhe bringen. Ihre Reizschwelle liegt hoch, doch wagt irgendjemand – ein Fremder oder gar ein Angreifer – diese zu überschreiten, können sie gefährlich werden.

Wie groß werden Deutsche Doggen?

Liebhaber der Deutschen Dogge bezeichnen sie als den Apoll unter den Hunden, weil sie so kraftvoll und so wohlgestaltet ist. In der Größe wird sie nur wenig von dem Allergrößten – dem Irish Wolfhound (Irischen Wolfshund) – übertroffen. Sie gehört daher in der Hundewelt zu den Riesen und zu den Schwergewichtlern.

Bei einer Widerristhöhe von 80 Zentimetern können Rüden 85 Kilogramm und mehr wiegen. Kein Wunder, dass die meisten Menschen Respekt vor ihr haben und ihr lieber aus dem Weg gehen. Dennoch hat sie ihren Platz auch in der Familie gefunden, denn eine Dogge ist ruhig, besonnen und ausgesprochen gutmütig, vor allem im Zusammenleben und im Spiel mit Kindern.

Für eine kleine Wohnung ist sie nicht geeignet. Ein kräftiges Wedeln mit ihrer langen Rute kann schon genügen, um das Geschirr vom Tisch zu fegen. Eine Dogge braucht viel Bewegungsfreiheit. Sie ist auch kein Hund für den schmalen Geldbeutel. Ihr Futterbedarf ist mindestens viermal größer als der eines Kleinpudels: Einige Pfund Fleisch täglich verschlingt sie im Handumdrehen.

Warum eignet sich der Boxer als Diensthund?

Man hat inzwischen erkannt, dass der Boxer ein freundlicher Hausgenosse ist, mit dem auch Kinder sehr gut auskommen. Zugleich ist er aber auch ein überaus zuverlässiger Wächter und Beschützer. Deshalb gehört er auch zum Kreis der anerkannten Diensthunde. Zu diesen rechnet man

HUNDERIESE

Mit einer Widerristhöhe von 154 Zentimetern ist die Deutsche Dogge Harvey der größte lebende Hund. Sie frisst täglich 3,6 Kilogramm Dosenfutter und wurde in das Jahrbuch der Guinness-Rekorde 2002 aufgenommen.

Doggen werden in fünf Farbschlägen gezüchtet, von denen die schwarz-weiß gefleckte Variante – die Tigerdogge – die auffälligste ist.

außer dem schon beschriebenen Dobermann und dem Riesenschnauzer auch noch den Rottweiler, den Deutschen Schäferhund und den Airedaleterrier.

Als 1895 erstmals ein Boxer auf einer Hundeausstellung in München gezeigt wurde, löste sein ungewohnter Anblick Heiterkeit aus. Sein faltenreiches Gesicht, seine platt gedrückte, zurückliegende Nase und sein vorstehender Unterkiefer (sein Hechtgebiss) widersprachen dem herkömmlichen Schönheitsbegriff. Diese ablehnende Haltung änderte sich innerhalb weniger Jahrzehnte.

Ein Diensthund ist – ganz im Gegensatz zum „Kampfhund" – kein blindwütiger Beißer. Er gehorcht seinem Herrn aufs Wort und greift nur an, wenn es ihm befohlen wird. Er stellt einen Täter, verbellt ihn und lässt auf Zuruf des Hundeführers sofort von ihm ab. Außerdem ist ein Diensthund unbestechlich – auch eine vorgehaltene Bockwurst beeindruckt ihn nicht. Und einschüchtern kann man ihn schon gar nicht. Sein Verhalten ist das Ergebnis einer Ausbildung durch einen erfahrenen Abrichter. Der Boxer bringt hierfür die besten Voraussetzungen mit. Ein

Mit einem Junghund wie diesem Boxerwelpen ist man rund um die Uhr beschäftigt.

Hund kann aber auch – wie wir von den Kampfhunden wissen – schnell verdorben werden, wenn man ihn gefühllos behandelt und nur auf Schärfe abrichtet.

KAMPFHUNDE

Für einige Rassen wie den Mastino Napoletano besteht mancherorts Maulkorbpflicht.

Der Mensch missbraucht den ausgeprägten Schutztrieb der Doggen. Schon im Altertum züchtete er besonders scharfe und blutrünstige Hunde dieser Art, die in den Arenen der Amphitheater auf andere Tiere gehetzt wurden oder gegen Gladiatoren kämpfen mussten. Im Mittelalter mussten Bullenbeißer in Kampfspielen Stiere angreifen oder wurden bei der Wildschweinjagd eingesetzt. Die Zeit der Amphitheater und erbarmungslosen Saujagden ist lange vorüber, aber auch heute spricht man wieder von „Kampfhunden", die zum Schutz vor

Überfällen oder Einbrüchen und aus Imponiergehabe gehalten werden. Sie sind besonders gefürchtet, da sie in ihrer Angriffslust oft zu weit gehen und Menschenleben gefährden.
Doch kein Hund wird als Kampfhund geboren, auch nicht der zu Unrecht als solcher verschriene Bullterrier mit seinem unverkennbaren Doggenblut. Nur der Mensch entscheidet und ist dafür verantwortlich, welche Eigenschaften ein Hund entfaltet, gleichgültig, um welche Rasse es sich handelt. In falscher Hand kann selbst ein kleiner, von Natur aus

harmloser Mischling beißwütig werden. Mit dem Verbot einiger als besonders gefährlich geltender Hunderassen ist es also nicht getan. Die „Verordnung über das Halten gefährlicher Tiere" schreibt unter anderem für aggressive Hunde Beißkorb oder Leinenzwang, ja selbst Zuchtverbot vor. In manchen Bundesländern müssen die Halter sogenannter Kampfhunde ein polizeiliches Führungszeugnis beantragen und eine Sachkundeprüfung zur Hundehaltung ablegen.

Erst falsche Erziehung macht Bullterrier zu Kampfhunden.

Was zeichnet Windhunde aus?

Schon vor Jahrtausenden stellten die Ägypter in Reliefs auf Denkmälern, in Grabkammern und an Felswänden sowie in Malereien auf Schalen und Vasen Hunde dar, die unseren heutigen Windhunden gleichen. Hunde also mit langem, schmalem Kopf, mit einem biegsamen Körper und hoch „aufgezogenem" Leib, einem kräftigen Brustkorb und hohen, sehnigen Läufen. Die Pharaonen schätzten diese schnellen und ausdauernden Hunde, vor allem den stehohrigen, ringelschwänzigen Tesem. Man begegnet ihm auch heute noch in verschiedenen Formen auf einigen Mittelmeerinseln; hier wird er wie früher Pharaonenhund genannt.

Der Wert der Windhunde beruhte hauptsächlich auf der Geschwindigkeit, die sie bei der Jagd entwickelten. Über Steppengras und Wüstensand hetzten sie Antilopen und Gazellen schnell wie der Wind und nahmen es sogar mit dem schnellsten Säugetier der Welt, dem Geparden, auf. Bei diesen Jagden verlassen sich Windhunde, im Gegensatz zu allen anderen Jagdhunden, mehr auf ihre Augen als auf ihre Nase. Sie erspähen ihre Beute schon von Weitem und treiben sie über große Strecken vor sich her, bis deren Kräfte nachlassen und sie erschöpft aufgeben. Orientalische Windhunde wie der Afghane, der Saluki und der Sloughi sind leicht an ihren Schlappohren zu erkennen. Die europäischen Windhunde haben dagegen Rosenohren: Ihre Ohrmuscheln sind wie die Blütenblätter einer Rose in sich gefaltet, sodass man in sie hineinsehen kann. Zu ihnen gehören der Barsoi, der Whippet, der Greyhound, der Deerhound, der Irish Wolfhound und das Windspiel.

Wer erfand die Windhundrennen?

Die große Zeit der Hetzjagden ist für Windhunde vorbei. Selbst in ihren Herkunftsländern werden sie heute kaum noch zur Jagd verwendet. Doch ihr unbändiger Bewegungsdrang und ihr Hetztrieb sind geblieben, auch wenn sie sich dem Leben in der Stadt anpassten. Von der Leine gelassen, nutzen sie gerne jede sich bietende Gelegenheit, ein davonlaufendes Kaninchen oder eine aufgescheuchte Katze zu verfolgen. Windhunde, die ihre Rennleidenschaft nicht befriedigen können, fühlen sich wie eingesperrte Vögel.

Englische Windhundliebhaber fanden im 18. Jahrhundert eine Lösung – die Windhundrennen. Waren es anfangs lebende Hasen, denen

*Orientalische Windhunde:
Saluki, Sloughi, Afghane
(von links nach rechts)*

Deerhound

Greyhound

Barsoi

Italienisches Windspiel

Whippet

Auf Rennbahnen können Windhunde ihren Bewegungsdrang ausleben. Die abgebildeten Tiere gehören zu den europäischen Rassen.

Windhundwelpen folgen ihrem Trainer, der mit Futter vorneweg läuft (1938).

die Hunde hinterherjagten, so verwendete man später aus Gründen des Tierschutzes einen künstlichen Hasen. Diese mit Fell überzogene Attrappe wird an einem Seil vor den Hunden über die Piste gezogen. Zu diesem Zeitpunkt fanden die Rennen auch nicht mehr auf einem graswachsenen Gelände statt, sondern auf dafür angelegten Rennbahnen mit Kurven und einer Zielgeraden.

Der Greyhound ist der schnellste Kurzstreckenläufer unter den Windhunden. Er erreicht eine Höchstgeschwindigkeit von 61 Kilometern pro Stunde. Der Whippet, das „Rennpferd des kleinen Mannes", bringt es auf 51 Kilometer pro Stunde und ist damit viel schneller als die größeren Afghanen oder Barsois. Er ist auch zuverlässiger als die Großen, die selbst auf der Bahn schnell einmal raufen.

Der Irish Wolfhound, wegen seiner Gutmütigkeit auch „sanfter Riese" genannt, ist nicht nur der größte Windhund, sondern einer der

Wie schnell sind die Schnellsten?

größten Hunde überhaupt. Er übertrifft mitunter sogar die Deutsche Dogge: Tiere mit 95 Zentimetern Schulterhöhe sind keine Seltenheit. Auf Rennbahnen begegnet man dem Irish Wolfhound jedoch kaum einmal, obwohl auch er ein enormes Bewegungsbedürfnis hat. Schließlich wurde er ja früher sogar zur Wolfsjagd verwendet. Auch dem eleganten und stets Aufsehen erregenden Barsoi, in den 1920er-Jahren häufiger Begleiter vornehmer Damen, sieht man den einstigen Wolfsjäger nicht an.

Junger Irish Wolfhound: Dieser Windhund ist noch größer und massiger als sein englischer Vetter, der Deerhound.

Schon im Altertum bevorzugten Hirten als Bewa-

Warum haben Hirtenhunde meist ein weißes Fell?

cher ihrer Viehherden große weiße Hunde, die über genügend Stärke und Mut verfügten, um den Kampf mit Raubtieren aufnehmen zu können. Durch ihr helles Haarkleid waren sie auch nachts zu erkennen und von angreifenden Wölfen oder Bären gut zu unterscheiden. So konnte es nicht geschehen, dass die Hirten, wenn sie in den Kampf eingriffen, versehentlich ihre Hunde töteten.

Der Kuvasz wurde als Hof- und Hirtenhund sowie für die Jagd eingesetzt.

Besonders bekannt wurde der Kuvasz, einer der fünf Vertreter ungarischer Hirten- und Hütehundrassen. Der größte der ungarischen Hirtenhunde ist der Komondor. Sein Kennzeichen ist das zottige, verfilzte helle Haarkleid. Einen besseren Schutz kann sich ein Hund kaum wünschen: Es umgibt ihn wie ein undurchdringlicher Panzer und bewahrt ihn vor Bissverletzungen durch Raubtiere und den Unbilden der Witterung. An Kämmen ist nicht zu denken, und so werden aus anfänglichen Haarschnüren allmählich dicke Platten.

Die bekanntesten Hütehunde

Welche Aufgaben haben Hüte- und Treiberhunde?

sind der Puli, der Pumi und der Mudi. Wie ihre beiden großen Vettern Kuvasz und Komondor stammen sie aus Ungarn. Ihre Aufgabe besteht im Zusammenhalten des Viehs in der Herde am Tage. Hierfür ist ein weißes Haarkleid, wie bei den Hirtenhunden, nicht erforderlich. Ihr Fell ist grau, schwarz oder rötlich braun. Der Puli ist der verbreitetste Hütehund und auch als Haushund sehr beliebt. Sein Körper ist von Kopf bis Fuß mit einem zum Verfilzen neigenden Haarkleid bedeckt, das – ähnlich dem Komondor – lange Schnüre bildet.

Eine ganz andere Aufgabe, die allerdings ebenfalls etwas mit Viehherden zu tun hat, erfüllen die Treiberhunde. Das kleine Städtchen Rottweil am Neckar verlieh dem bekanntesten dieser „Zunft" seinen Namen. Rottweil war in vergangener Zeit, als man noch bei Wind und Wetter das Vieh über die Landstraßen trieb, ein bevorzugter Treffpunkt der Metzger und Viehhändler. Sie führten als unentbehrliche Gehilfen große und robuste Hunde mit sich, die mit störrischen Rindern umzugehen verstanden und zugleich ein wirksamer Schutz gegen Viehdiebe waren. Diese Metzgerhunde, wie man sie auch nannte, denn sie waren so stämmig wie ihre Besitzer, wurden bald über ihre Heimat hinaus unter dem Namen Rottweiler bekannt.

Viehtreiber sind sie schon lange nicht mehr. Stattdessen haben sie unser Vertrauen als verlässliche, wesensfeste Schutzhunde und als ruhige, besonnene Blindenführhunde gewonnen.

Bei einem Puli muss man mitunter sehr genau hinschauen, um zu erkennen, wo vorn und hinten ist.

INTERNATIONAL

Hirtenhunde von ähnlichem Typ und Aussehen entwickelten sich im Laufe der Jahrhunderte unabhängig voneinander in verschiedenen Ländern mit ausgeprägter Viehwirtschaft, so auf der Pyrenäenhalbinsel, auf dem Balkan und in der polnischen und slowakischen Tatra.

Auch der Berner Sennenhund gehört zu den Treiberhunden. „Vieräuglein" wird er genannt, weil er zwei hellbraune Punkte direkt über den Augen hat.

HELFER UND TRÖSTER

Hunde suchen Körperkontakt und Nähe und geben Menschen das Gefühl, gebraucht zu werden. Viele Tiere reagieren sehr sensibel auf die Bedürfnisse von jungen und alten Menschen, von Kranken oder Behinderten. Die vierbeinigen Helfer werden heute in verschiedenen Bereichen trainiert und eingesetzt, zum Beispiel bei Therapien im Krankenhaus. Sie helfen den Menschen, sich zu entspannen und zu beruhigen, sich abzulenken und neue Abwehrkräfte zu entwickeln. Sie geben einsamen Menschen Geborgenheit und sind geduldige Zuhörer.

Begleithunde werden darauf trainiert, Rollstuhlfahrern in ihrem Alltag zu helfen.

Dieser Begleithund hat gelernt, Waren aus Supermarktregalen zu holen.

Blindenhunde führen ihre Besitzer sicher um Hindernisse.

Hunde beruhigen und trösten viele Menschen allein durch ihre Anwesenheit.

Sie lernen unter anderem, Gegenstände aufzuheben und zu apportieren oder Schalter zu betätigen, und ermöglichen so ihren Besitzern ein weitgehend unabhängiges Leben.

Wie eng Mensch und Tier miteinander verbunden sein können, zeigt sich eindrucksvoll im Zusammenleben eines Blinden mit seinem Führhund. Ein Sehender kann wohl kaum ermessen, was der vierbeinige Gefährte für einen Menschen ohne Augenlicht bedeutet. Bereits im Altertum ließen sich Blinde von einem

Hund begleiten. Das Los dieser Menschen war sehr schwer; meist führten sie das Leben von Ausgestoßenen und Bettlern. Der Hund erleichterte ihnen das Dasein. Durch ihn machten sie ihre Mitmenschen auf sich aufmerksam und konnten so eher mit einem Almosen rechnen. Vor allem aber nahm ihnen das Tier das Gefühl, einsam und verlassen zu sein.

Der erste Bericht von einem Menschen, der einen Hund zum Führhund abrichtete, ist über 200 Jahre alt. Josef Reisinger erblindete 1780 als junger Handwerksbursche auf der Wanderschaft. 1788 bildete er einen Spitz aus, der ihn sicher durch das bunte Treiben eines Markttages bis vor die Tore der Stadt führte.

Der Erste Weltkrieg brachte, wie alle Kriege, sehr viel Leid über die Völker und hinterließ als trauriges Erbe Tausende hilflose Kriegsblinde. Das war einer der Anlässe, im Jahre 1923 die erste ständige Schule für Blindenführhunde in Deutschland zu gründen. Heute gibt es in fast allen europäischen Ländern Spezialschulen, die Führhunde ausbilden.

Die Treue und das fröhliche Wesen von Hunden muntern viele Menschen auf.

Bei uns gilt der Deutsche Schäferhund als der bewährteste Führhund. Außerdem sieht man Rottweiler, Riesenschnauzer, Airedaleterrier, Großpudel und Dalmatiner an der Seite von Sehbehinderten. Auch der Neufundländer ist geeignet, denn er kann sich dem Schritt des Menschen besonders gut anpassen, allerdings verlangt sein Fell sehr viel Pflege. Ein Führhund darf kein Raufer sein und sich durch nichts ablenken lassen. Er sollte ein gutes Gedächtnis haben, um Erlerntes der Situation entsprechend anwenden zu können.

Rottweiler

Der Bobtail ist der „Old English Sheepdog". Sein Name hängt mit seiner häufig angeborenen Stummelrute zusammen (von englisch tail = Schwanz und to bob = kurz schneiden).

tagsüber als Hütehund und nachts als Wächter über Haus und Hof.

Natürlich schwört jedes Land auf seinen Schäferhund! Die Belgier können gleich mit vier Rassen aufwarten, und zwar mit dem tiefschwarzen Groenendael, der dem Deutschen Schäferhund sehr ähnlich sieht, seinem engen Verwandten, dem Tervueren, dem kraushaarigen und robusten Laekenois und dem kurzhaarigen, braunroten Malinois, der in seiner belgischen Heimat am häufigsten gehalten wird, weil er in seiner Leistung als Gebrauchshund alle seine Vettern übertrifft.

Unter den verschiedenen französischen Schäferhundschlägen ist der wendige Berger de Brie oder Briard, wie er auch genannt wird, sicherlich der bekannteste. Er stammt aus der Brie, einem Landstrich zwischen Marne und Seine. Die Engländer ließen bis zum Beginn unseres Jahrhunderts ihre Herden von Collies, Shelties oder Bobtails hüten und bewachen. Dann wurde, vermutlich durch Einkreuzung vom Barsoi, der Collie vorübergehend wegen seines seidigen Fells und seiner schmalen Kopfform zum Modehund. Heute sind alle drei Hunderassen beliebte Familien- und Begleithunde.

Ein aufmerksamer Collie-Rüde. In Schottland gab es einst Schafe mit schwarzem Kopf und Beinen, Colleys genannt. Um sie zu hüten, verwendete man Colleydogs. So entstand der Collie.

In alten Zeiten zählten Schafherden zum wertvollsten Besitz eines Bauern. Doch mit der Entwicklung der Landwirtschaft

Welche Schäferhunde gibt es?

wurden die einstmals ausgedehnten Gras- und Ödflächen immer seltener. Zwischen bebauten Feldern konnte aber der beste Hirte allein nicht verhindern, dass seine Schafe, statt auf den Wegen und Feldrainen zu bleiben, auf die Äcker liefen. So wurde der Schäferhund bald zum unentbehrlichen Gehilfen des Schäfers:

...helfen, Erdbebenopfer unter Trümmern aufzuspüren...

...oder erschnüffeln für Zoll und Polizei versteckte Drogen und Sprengstoffe.

Schäferhunde sind sehr vielseitig: Sie finden verschüttete Lawinenopfer...

Von links nach rechts:
Briard
Laekenois
Groenendael
Malinois
Tervueren
Deutscher Schäferhund

Sind Schäferhunde noch immer Gehilfen des Schäfers?

In heutiger Zeit werden in allen Ländern nur noch die wenigsten Schäferhunde ihrem Namen gerecht. Aber ihre Auffassungsgabe, ihr Gehorsam und ihre Freude an der Betätigung trugen dazu bei, dass sich für die Tiere andere, nicht minder wichtige Aufgaben fanden.

Auf der ganzen Welt bekannt und geschätzt ist der Deutsche Schäferhund. Da er im Äußeren, vor allem mit seinem Haarkleid, dem Wolf sehr ähnelt, wird er im Volksmund auch Wolfshund genannt. Dennoch ist er nicht enger mit dem Wolf verwandt als die anderen Hunderassen – auch wenn es mehrfach gelang, beide Tierarten miteinander zu kreuzen. Derartige Versuche erwiesen sich, wie wir von den bereits erwähnten Puwos wissen, keineswegs als nützlich. Die Nachkommen zeigten eher negative Eigenschaften.

Wie keine andere Rasse verkörpert der Deutsche Schäferhund den Hund schlechthin. Er ist das, was man sich unter einem richtigen Hund vorstellt. Deshalb gibt es ja auch so viele Filme und Geschichten, in denen er als bester Freund des Menschen in Erscheinung tritt. So stellt er sein vielseitiges Können bei der Verfolgung eines Täters, in Zeiten des Krieges als Meldegänger und Sanitätshund, beim Aufspüren von Gas aus undichten Leitungen, bei der Suche nach Lawinen- und Erdbebenopfern, ja selbst beim Auffinden von Erzlagerstätten unter Beweis.

Der Deutsche Schäferhund ist zudem pflegeleicht. Er hat ein wetterfestes Stockhaar aus kurzer Unterwolle und dicht darüber liegenden Deckhaaren von Reinschwarz über Braun bis Gelb, häufig mit schwarzem Sattel auf dem Rücken oder rotbraunen bis graugelben Abzeichen. Die langhaarige Variante, den Altdeutschen Schäferhund, sieht man heute leider kaum noch.

Die älteste Nutzungsart des Hundes ist die Jagd. Bereits im Altertum verwendete man je nach Jagdmethode unterschiedlich ausgebildete oder veranlagte Hunde.

Was sind Schweißhunde?

Auch heute werden Weidmänner von Hunden begleitet, die ihrem Wesen entsprechend sehr unterschiedliche Aufgaben erfüllen müssen. Die verschiedensten Spezialisten für die Jagd in Feld, Wald oder Wasser und solche, die sich zum Stöbern, zum Aufspüren, zum Verbellen oder zum Herbeibringen der Beute eignen, entstanden in erster Linie in England. Man unterscheidet zwischen Schweiß-, Vorsteh-, Stöber-, Apportier-, Lauf- und Erdhunden.

Schweißhunde sind in der Lage, winzige Spuren von Schweiß, wie der Fachausdruck der Jäger für Blut lautet, noch nach Stunden wahrzunehmen. Am langen Riemen oder auch frei laufend führen sie den Jäger auf der Fährte bis zum angeschossenen Wild. Ohne die Hunde würde es nicht aufgefunden, sondern möglicherweise unter großen Schmerzen verenden. Unter den Schweißhunden, zu denen auch der Bayerische Gebirgsschweißhund und der Hannoversche Schweißhund gehören, ist der Bekannteste der Bluthund (Bloodhound). Er ist jedoch nicht blutrünstig und gemeingefährlich, wie der Name vermuten lässt. Dieser drückt wahrscheinlich aus, dass er edlen Blutes ist, wie man ja auch von einem Vollblut bei Pferden spricht. Man sagt ihm – wenn es um das Auffinden von verwundetem Wild geht – die beste Nase der Welt nach. Auch von dieser Fähigkeit könnte sein Name abgeleitet sein. Doch wird er heute kaum noch als Jagdhund, sondern vor allem als Spürhund bei der Polizei eingesetzt. Einen Einbrecher vermag er aber wohl kaum zu erschrecken, denn mit seinem faltigen Gesicht wirkt er eher treuherzig und melancholisch als furchterregend.

Wie verhalten sich Vorsteh- und Apportierhunde?

Auf ganz andere Weise nehmen Vorstehhunde die Witterung des Wildes auf. Sie folgen einer Spur nicht mit gesenktem Kopf, sondern fangen mit hoch erhobener Nase und geblähten Nasenflügeln die Luft ein. Haben sie das Wild ausgemacht, so verharren sie urplötzlich in ihrem Lauf und bleiben wie

Unter den Apportierhunden ist der Golden Retriever sehr beliebt. Auch als Familienhund hat er wegen seines schönen Aussehens viele Liebhaber gefunden.

Von links nach rechts:
Bayerischer Gebirgsschweißhund
Bluthund (Bloodhound)
Drahthaar
Setter
Golden Retriever

Im vergangenen Jahrhundert tat sich der Cockerspaniel unter anderem auch bei der Schnepfenjagd hervor. Und so kam zu dem Begriff Spaniel (keltisch span = Kaninchen) das Wort Cocker (englisch woodcock = Schnepfe) hinzu.

WASSERSPEZIALIST

Viele Hunde gehen gern ins Wasser wie dieser Labrador Retriever. Er stammt, gleich dem Wasser liebenden Neufundländer, von den Küsten im Nordosten Kanadas. Seine Fähigkeiten als Wasserspezialist nutzten früher gern auch die Fischer beim Einholen der Netze. Besonders verdient machte er sich bei der Rettung Ertrinkender.

erstarrt stehen. Einen Vorderlauf angezogen, die Rute senkrecht erhoben, weisen sie mit vorgestrecktem Fang auf die in der Nähe befindliche Beute: Sie stehen vor. Pointer nannten daher englische Züchter ihren besten Vertreter dieser Gruppe (von to point = zeigen, hinweisen). In Deutschland sind vor allem der Deutsch-Drahthaar, -Kurzhaar und -Langhaar die bekanntesten unter den Vorstehhunden. Krambambuli, ein Drahthaar, wurde durch seine anrührende Lebensgeschichte und den danach gedrehten Film zum Sinnbild des treuen Försterhundes.

Auch die Setter sind, allerdings englischen Ursprungs, traditionelle Vorstehhunde. Hat der Setter Wild gewittert, duckt er sich hin, ebenfalls ein Vorderbein erhoben und die Nase im Wind. Dieses Setting (von to set = setzen) führte zum Namen dieser Rasse.

Unter all den Spezialisten gibt es schließlich noch die Apportierhunde. Sie tun etwas, das eigentlich der Natur des vierbeinigen Jägers und ausgesprochenen Fleischfressers widerspricht: Sie lassen von der aufgefundenen Beute ab und legen sie dem Menschen zu Füßen. Wieder aus dem Englischen stammt der dieses Verhalten kennzeichnende Rassename: Retriever (von to retrieve = auffinden und bringen). Retriever apportieren von überall her – gleichgültig, ob es sich um Wasser, Schilf, Gestrüpp oder Feld handelt. In Deutschland

Hunde wie dieser Springer-Spaniel brauchen viel Bewegung, sonst werden sie dick und träge.

sind die fünf Retrieverrassen weniger bekannt. Eine Ausnahme bildet der Schönste von ihnen, der Golden Retriever.

Nur wenige Städter wissen, dass der als Familienhund beliebte Cockerspaniel eigentlich ein Jagdhund, ein Stöberhund ist.

Ist der Cockerspaniel ein Jagdhund?

Sie begegnen dem meist etwas beleibten und scheinbar trotteligen Cocker ja nur auf seinen eintönigen Runden um den Häuserblock.

In Wirklichkeit ist er ein ganzer Kerl, ein vielseitiger Gebrauchshund in der Hand des Jägers! Ein Cockerspaniel bewährt sich nicht nur als Stöberhund, sondern auch auf der Fährte, bei der Wasserarbeit und beim Apportieren. Er ist wie der Deutsch-Drahthaar – aus der Sicht des Jägers betrachtet – in Wald und Flur ein „Mädchen für alles" oder, wie man heute sagt, ein „Allrounddog".

Heißt er Dachshund, Dackel oder Teckel?

Merkwürdigerweise mögen manche Züchter und auch Förster und Jäger die Bezeichnung Dackel nicht, obwohl sie sich von dem altdeutschen Wort Dacksel oder Dachskriecher ableitet. Vielleicht, weil der Dackel im Laufe der Zeit zum Inbegriff des vierbeinigen Familienlieblings wurde, der sich nur allzu gern verwöhnen lässt und lieber im Warmen bequem auf dem Sofa liegt, als bei Wind und Wetter unterwegs zu sein.

Für die Jäger ist der Dachshund oder Teckel der unverkennbare Urenkel der kurzhaarigen Deutschen Bracke. Von diesem Laufhund stammt seine Freude am Jagen und Verfolgen einer Fährte. Was dem Teckel an Größe fehlt, macht er durch lautes Gebell wett. Seine Stärke liegt jedoch in der Arbeit unter der Erde. Mit seinen kurzen Läufen ist es ihm möglich, in die engen Röhren eines Baus zu kriechen und Füchse (früher auch Dachse) herauszutreiben.

Selbst als Hund mit engem Familienanschluss bewahrt er sich den Hang zu selbstständigem Handeln. Er ist nicht nur eigenwillig, sondern auch pfiffig genug, jedes Nachgeben oder jede kleine Schwäche zu seinem Vorteil auszunutzen. Dies gelingt ihm auch meistens, da kaum jemand seinem treuen Dackelblick widerstehen kann.

Was sind Laufhunde?

Laufhunde sind Jagdhunde in des Wortes eigentlicher Bedeutung. Sie hetzen das Wild nicht wie die Windhunde, sondern sie jagen es – weniger schnell, dafür aber ausdauernd. Mit hellem „Geläut", die Nase immer auf der Fährte, verfolgen sie das Wild oft über weite Strecken, bis es ermattet von ihnen gestellt wird.

Vor allem zur Hasenjagd verwendete man bis in unsere Zeit hinein, wenn auch dann in kleinerer Anzahl, gern den englischen Beagle. Er fand dank seines verträglichen Wesens und seines freundlichen Aussehens auch in der Familie Aufnahme. Man muss jedoch gut auf ihn Acht geben, denn er ist ein kleiner Vagabund.

Ebenfalls zum Streunen neigt ein anderer Laufhund, der Basset (sprich: ba'se). Sein Name leitet sich von dem französischen Wort bas = niedrig ab, weil er – ähnlich dem

Ahnentafel eines Rauhaardackels

Zwergdackel

DACKEL

Der Langhaardackel mit seinem glänzenden, roten oder schwarzbraunen weichen Haarkleid erwarb sich vor allem die Gunst des Städters, auch wenn er auf seinen kurzen Krummbeinen mit seinem langen Fell die Straße fegt (links). Der Rauhaarige ist der robusteste unter den Teckeln, ein echter Rabauke, und wird deshalb von Jägern bevorzugt (Mitte). Er fürchtet sich selbst vor Wildschweinen nicht.

Der Kurzhaarteckel, obwohl er den ursprünglichen Schlag verkörpert und seine Pflege am wenigsten Mühe macht, wird heutzutage am seltensten gehalten (rechts). Der Dachshund wird auch als Zwergteckel und als Kaninchenteckel gezüchtet (oben).

Wie man auf diesem alten Gemälde sieht, kann ein ausdauernder Dalmatiner neben einer vierspännigen Reisekutsche selbst mit dem Trab von Pferden Schritt halten.

HUNDEMEUTE

In früherer Zeit, als man noch aufwendige Parforcejagden – hoch zu Ross, den Hunden hin-

terher, querfeldein und über Stock und Stein – veranstaltete, wurden Laufhunde in großen Meuten eingesetzt. Diese Jagd auf lebendes Wild stammt aus Frankreich und leitet sich ab von par force = mit Kraft oder Gewalt, was bedeutet: Jagen und Fangen mit der Kraft von Hunden. Parforcejagden haben außer in Frankreich noch in England und Irland ihre Anhänger. In Deutschland sind sie seit 1935 aus Gründen des Tierschutzes verboten.

Dackel und dem Basset-Hound – ziemlich kurze Läufe hat.

In vielen Ländern Europas entstanden eigene Laufhundrassen und -schläge. In England sind es Beagle, Foxhound und Harrier, in Spanien und Portugal der Podenco, in der Schweiz die nach verschiedenen Kantonen benannten Niederlaufhunde, in Österreich die Tiroler Bracke, in Holland die Steinbracke und in Deutschland die Deutsche Bracke.

Die Lust am Laufen zeichnet auch eine ganz andere Hunderasse aus: den Dalmatiner. Er ist ebenfalls von Natur aus ein Jagdhund, der sich schon im Mittelalter in Italien auf der Jagd bewährte. Er fand jedoch in unserer Zeit bei Förstern wenig Anklang. Sie nannten ihn „die Blendlaterne des Waldes", weil sein auffallendes weißes Haarkleid mit den schwarzen oder braunen Tupfen schon auf große Entfernung das Wild warnte und vertrieb. Da er aber in der Großstadt auch im Straßenverkehr nicht zu übersehen ist, läuft er in manchen Ländern als

> **Warum nennt man den Dalmatiner Kutschenhund?**

Führhund an der Seite eines Blinden. Als man noch mit der Kutsche reiste, begleitete er über weite Strecken Pferd und Wagen. Coachdog, Kutschenhund, hieß er deshalb eine Zeit lang in England. Später stieg er sogar auf eine „Benzinkutsche" um und wurde zum Maskottchen der New Yorker Feuerwehrleute. Häufig war er auch im Zirkus oder im Varieté zu sehen, wo er Kunststückchen vorführte und zum Artistenhund aufstieg.

Dalmatiner sind sehr anpassungsfähige und leicht erziehbare Tiere, zudem kinderlieb, ungeeignet jedoch für Bewegungsmuffel.

Der Basset (französischer Abstammung) gehört zu den Niederlaufhunden. Er wird häufig mit dem englischen Basset-Hound verwechselt. Gemeinsames Kennzeichen sind die langen Schlappohren.

Wer gehört zur Familie der Terrier?

Unter den vielen Hunderassen bilden die Terrier eine der größten Familien mit recht unterschiedlich aussehenden und veranlagten Vertretern. Sie reicht vom Größten, dem Airedaleterrier, und dem Kraftvollsten, dem Bullterrier, über Fox-, Border-, Scottish-, Sealyham-, Skye-, Irish-, Welsh-, Lakeland-, Cairn-, Boston-, Bedlington-Terrier bis hin zum Kecksten, dem West-Highland-White-, und dem Kleinsten, dem Yorkshireterrier.

Die meisten von ihnen sind lebhaft, verspielt, fröhlich und haben nicht selten den Schalk im Nacken. Mit Ausnahme des besonneneren und deshalb als Diensthund genutzten Airedaleterriers sind einige auch kleine Draufgänger, unerschrocken, wagemutig und nicht selten rauflustig. Nicht umsonst nennen die Iren ihren Nationalhund, den Irish-Terrier, „dare devil", wagemutiger Teufel. Und der Scottish-Terrier, seines schwarzen Haarkleides wegen im Volksmund „Zylinderputzer" genannt, legt sich gern mit großen Artgenossen an.

Fast alle Terrier führen ein behütetes Leben im Kreis einer Familie. Vor einigen Jahrzehnten waren es vor allem der „Fox" und der „Scotch"; heute bevorzugen Hundeliebhaber oft den „Westie" und den „Yorkie".

Jack-Russel-Terrier

Was ist ein Schliefplatz?

Damit die Erdhunde nicht ganz arbeitslos werden und ihre jagdlichen Instinkte verkümmern, erfanden ihre Züchter einen Ersatz, den Schliefplatz. Das Wort schliefen gehört zur Sprache der Jäger und bedeutet „in den Bau schlüpfen". Der Schliefplatz ist ein von Menschenhand geschaffener Fuchs- oder Dachsbau, in den man nach Abheben eines Deckels hineinschauen kann. Damit der „Übungs"-Fuchs oder -Dachs nicht das Weite sucht, ist das Gelände umzäunt.

Auf dem Schliefplatz stellen nicht nur Foxterrier, sondern auch Teckel ihren Mut unter Beweis. Doch der Zweikampf darf nicht in Tierquälerei ausarten. Deshalb sorgt der Platzwart durch das Einbringen eines Schiebers in den Bau dafür, dass sich die Gegner nicht verletzen oder gar töten. Tierschützer lehnen diese Abrichtungsmethode dennoch ab!

Seit wann gibt es Schoßhündchen?

Schon vor mehr als 2 000 Jahren kannte man in Rom zierliche weiße Schoßhündchen von der Größe eines Eichhörnchens. Sie wurden Melitäer genannt, da man annahm, dass sie von der Insel Melitaea (heute Meleda) im Adriatischen Meer vor der Küste Dalmatiens stammten. Möglicherweise kamen sie jedoch, wie so manch anderer Luxus, von Griechenland nach Rom und wurden zum verwöhnten Spielzeug reicher Frauen. Mit dem Untergang des Römischen Reiches kamen für die Melitäer mage-

ERDHUNDE

Ursprünglich waren fast alle Terrier Jagdhunde, doch nur noch wenige werden ihrem Namen gerecht. Er ist vom lateinischen terra = Erde abgeleitet und besagt, dass sie unter der Erde – im Bau von Fuchs und Dachs – als Gehilfen des Jägers ihre Arbeit verrichteten. Deshalb waren die ersten Terrierrassen klein und passten bequem in den Rucksack eines Weidmannes.

ARISTOKRATEN

Unter Karl II. von England (1630 bis 1685) wurden Scharen von Toyspaniels populär. Die Türen seines Palastes standen für sie immer offen. Bei Tag und Nacht waren sie in seiner Nähe und durften sogar bei Staatsempfängen nicht fehlen. Sie sind es auch, denen unser heutiger Cavalier-King-Charles seinen Namen verdankt.

re Zeiten, aber sie starben nicht aus. In späteren Jahrhunderten setzten sie noch einmal die Tradition fort, Tröster bei Kümmernissen und Lieblinge der Damen zu sein. Durch eine Verwechslung mit der Insel Malta, die man lateinisch Melita nannte, erhielten sie im 16. Jahrhundert den Namen Malteser. Spanische Seeleute nahmen einige Tiere mit in ferne Länder. Aus diesen gingen der Havaneser und das Manilahündchen hervor. Ein ebenso naher Verwandter ist der kraus gelockte Bologneser, dem die italienische Stadt Bologna ihren Namen gab. Malteser und Bologneser sind heute keine Luxushunde mehr. Sie sind weit verbreitet, aber wegen ihres anschmiegsamen Wesens, ihrer zierlichen Gestalt und ihres seidigen, weichen Haarklei-

des werden sie nach wie vor von Frauen bevorzugt.

Einst waren in England die Zwergspaniels sehr beliebt. Man nannte sie Comforter (Tröster) oder – wie die gleich große Pudelspielart –

Corgis sind die Lieblinge der britischen Königin Elisabeth II. Sie werden königlich umhegt und gepflegt.

Toys. Sie waren nur dafür geschaffen, das Dasein zu verschönern und durch ihr quirliges Verhalten die Zeit angenehm zu vertreiben.

Der heutige Cavalier-King-Charles ist für einen Schoßhund eigentlich schon zu groß, aber für liebevolle Behandlung sehr empfänglich und dem Menschen zugetan.

Viele Zwerghunde werden als Luxustiere gehalten.

Die großen, aufrecht stehenden Ohren des Papillon-Hündchens erinnern an die Flügel eines Schmetterlings.

Welche Rassen bezeichnet man als Zwerghunde?

Wir sprechen zwar von Zwergpudel, Zwergpinscher, Zwergschnauzer oder Zwergteckel, zu den Zwerghunden gehören sie jedoch nicht. Hinsichtlich ihrer anatomischen Proportionen wie auch im Wesen sind sie Miniaturformen ihrer großen Verwandten.

Die eigentlichen Zwerghunde entsprechen dem Kindchenschema, wie es der bekannte Verhaltensforscher Konrad Lorenz (1903 bis 1989) bezeichnete. Es sind Hunde mit rund gewölbter Stirn, großen Kulleraugen und einem runden Köpfchen. Tiere also, die zum Streicheln und Liebkosen verführen. Doch Vorsicht, der Schein trügt mitunter! Trotz ihres niedlichen Aussehens können sie Kratzbürsten sein.

Der bekannteste von ihnen ist der Peking-Palasthund oder Pekinese,

ursprünglich Pekingese genannt. Umwoben von Geheimnissen lebte er jahrhundertelang in der Verborgenheit des kaiserlichen Palastes in Peking, von einer Dienerschar argwöhnisch bewacht und sorgsam behütet. Der Kult, der mit seiner Haltung betrieben wurde, prägte seinen Charakter. Nachdem er 1860 nach Europa gelangte, da englische Soldaten den prächtigen Sommerpalast gestürmt und geplündert hatten, bewahrte er sich auch unter veränderten Lebensbedingungen weiterhin sein zurückhaltendes Wesen. Er blieb ein Luxusgeschöpf, gewohnt, im Mittelpunkt zu stehen, und nicht gewillt, seine Zuneigung zur Familie mit anderen Artgenossen zu teilen – ein kleiner Eigenbrötler und besonders misstrauisch gegenüber Fremden. Den Namen Löwenhündchen und die verschwenderische Haarfülle hat er mit dem tibetanischen Lhasa-Apso und dem Shi-Tzu gemein. Ein weiteres gemeinsames Kennzeichen ist der verkürzte Fang. Ist er besonders kurz, bewirkt er Schniefen und erschwertes Atmen durch die Nase. Nicht alles, was Züchter geschaffen haben und als erstrebenswert betrachten, tut den Tieren gut!

Der Shi-Tzu stammt aus Tibet und soll früher vom Dalai-Lama als Glücksbringer verschenkt worden sein.

MEDIZIN für Leib und Seele: Der römische Historiker und Schriftsteller Plinius der Ältere (24 bis 79) empfahl kleine Hunde als bewährtes Mittel gegen Magenschmerzen. Die Damen nahmen sie gern mit ins Bett, um ihren Bauch zu wärmen. Vielleicht war dies der Ursprung der Bezeichnung Schoßhündchen.

Pekinese mit Hundemantel. Deckchen sind für langhaarige Hunde eigentlich unnötig.

Berühmte Hunde

Mythologie

In der Mythologie, der Götterlehre, spielen auch Hunde als Fabelwesen eine Rolle. Bei den alten Griechen war dies Kerberos, der mehrköpfige Höllenhund. Er saß an der Seite von Pluto, dem Gott der Unterwelt, und bewachte deren Eingang. Er ließ jeden hinein, aber niemanden wieder heraus. Er gilt daher als Symbol der Wachsamkeit. Das trifft auch auf Argos zu, den Hund von Odysseus. Als dieser nach Jahren als Bettler verkleidet von seinen Irrfahrten zurückkehrte, erkannte ihn Argos sofort wieder. Bei den Ägyptern war Anubis, ein Gott in Gestalt eines Hundes oder Schakals, Wächter der Totenstädte.

Eine Hundemumie aus römischer Zeit

Struppi löst mit seinem Herrchen Tim zahlreiche Fälle im Comic.

Treue

In vielen Geschichten aus aller Welt wird über die große Treue von Hunden zu ihren vertrauten Menschen berichtet. Hachico war ein Akita Inu und gehörte einem Professor der Universität Tokio. Er begleitete seinen Herrn täglich zum Bahnhof und erwartete ihn an jedem Nachmittag geduldig am Bahnsteig. Eines Tages wurde der Professor bei einem Anschlag auf sein Forschungslabor getötet. Von nun an wartete Hachico vergebens auf seine Rückkehr. Dennoch lief er nach wie vor jeden Tag zum Bahnhof und blieb dort oft bis Mitternacht. Als er nach neun Jahren starb, berichteten hierüber alle Zeitungen im Lande. Zur Erinnerung an ihn wurde sogar ein Denkmal errichtet.

Hachico gehörte zur Rasse der Akita Inu.

Bootsmann

Apportiertrieb und Wasserfreudigkeit sind kennzeichnende Eigenschaften der Neufundländer. Alles, was im Wasser schwimmt, wird von ihnen an Land gebracht. Einige von ihnen wurden deshalb sogar berühmt. Boatswain hieß der Neufundländer eines englischen Schiffskommandanten, der Napoleon aus dem Wasser zog, als dieser bei einem Fluchtversuch von der Insel Elba vom Bootssteg ins Wasser fiel. Den gleichen Namen trug auch ein anderer Artgenosse, der mehrere Menschen, meist Schiffbrüchige, vor dem Ertrinken rettete. Der englische Maler Landseer malte ihn in Lebensgröße und nannte das Bild „Ein angesehenes Mitglied der menschlichen Gesellschaft!".

Gemälde von Sir Edwin Landseer, 1838

Tierische Stars

Viele Hunde wurden durch Film und Fernsehen berühmt. In den 1920er-Jahren war es der Schäferhund Rin-Tin-Tin, der als Filmstar von sich reden machte, indem er flüchtende Räuber am Hosenboden packte oder sogar Zeugen vor den Richter schleppte. Ähnliche Wundertaten vollbringt in einer Fernsehserie heute auch „Kommissar Rex" als Ermittler. Die Colliehündin Lassie rührt in ihren Abenteuern immer noch viele Hundefreunde zu Tränen. Leider entsprechen all diese Darstellungen kaum der Wirklichkeit. Meist vermenschlichen sie die Hunde und vermitteln falsche Vorstellungen von deren Gefühlsleben und Empfindungen.

Lassie

101 Dalmatiner und ihr Vorbild Rin-Tin-Tin

Ein Hund kommt ins Haus

Welcher Hund passt zu uns?

Der Kauf eines Hundes will gut überlegt sein, denn wir nehmen ein Lebewesen in die Familie auf. Ein Wesen mit arteigenen Bedürfnissen und Empfindungen, für das wir von nun an ein Hundeleben lang sorgen müssen.

Soll sich der Hund bei uns wohlfühlen, müssen einige Voraussetzungen erfüllt sein: Vor allem müssen wir viel Zeit für ihn haben. Er verspürt einen großen Drang zum Laufen, zum Schnuppern oder zum Reviermarkieren und muss deshalb mehrmals täglich ausgeführt werden, auch bei schlechtem Wetter! Sind dazu alle Familienmitglieder bereit? Bietet ihm die Wohnung ausreichend Platz? Erlaubt der Vermieter Hunde im Haus? Und schließlich die Geldfrage: Die Haltung eines Hundes kostet mindestens 800 Euro im Jahr für Steuer, Haftpflichtversicherung, Ernährung, Pflege und Tierarztkosten.

Ist der Kauf eines Hundes von der Familie beschlossen, so ergibt sich die Frage: Welcher Hund passt zur Familie? Rassehund oder Mischling, groß oder klein, kurz- oder doch langhaarig? Für ein verträgliches Zusammenleben ist jedoch sein Charakter wichtiger als sein Aussehen.

Meist sind es die Niedlichen, von denen alle begeistert sind. Man kann sie auf den Arm nehmen, knuddeln und herumtragen. Aber gerade unter diesen sind so manche, die sich kratzbürstig benehmen und Kinder nicht mögen, weil sie gern selbst im Mittelpunkt stehen und den Ton angeben wollen. So sind Spitz oder Zwergpinscher meist keine duldsamen Spielgefährten. Ein Hund für Kinder darf weder ängstlich noch nervös, nicht lärmempfindlich oder wehleidig sein. Er muss ausdauernd im Spiel sein und schon einmal einen Knuff vertragen; auch sollte er einen ausgeprägten Beschützerinstinkt haben. All diese Eigenschaften finden wir vorwiegend bei großen Hunderassen wie Airedaleterrier, Bernhardiner, Bobtail, Boxer, Collie, Kuvasz und Neufundländer.

Aber auch unter den kleineren Hunderassen gibt es einige, die sich Kindern gut anpassen, vor allem wenn sie zusammen aufwachsen. Hierzu gehören Beagle, Mittelschnauzer, Klein- und Großpudel,

Besonders in der Ferienzeit werden Hunde ausgesetzt.

AUSGESETZTE TIERE
Die Zahl der alljährlich ausgesetzten Hunde wird auf mehr als 50 000 geschätzt. Das Aussetzen verstößt gegen die Bestimmungen des Tierschutzgesetzes und kann mit hohen Geldstrafen geahndet werden. Die Gründe für ein solch herzloses Verhalten sind meist Egoismus, Bequemlichkeit, das Scheuen der Kosten und Unverständnis für das Tier.

Bei der Auswahl des geeigneten Hundes steht man vor der Qual der Wahl.

der Foxterrier, der „Scotch" und der unverwüstliche Rauhaardackel. Der Mops gleicht in vielem seinem „großen Bruder", dem Boxer. Er ist wie dieser gutmütig, nicht zimperlich und spielt gern. Im Übrigen, es muss kein Rassehund sein! Mischlinge sind zwar weder klüger noch gesünder oder widerstandsfähiger, wie manchmal behauptet wird, aber sie sind meist sehr anhänglich.

Die Frage „Hündin oder Rüde?"

Spielen Alter und Geschlecht eine Rolle?

ist eigentlich nur dann von Bedeutung, wenn man züchten will. Beide können gleich freundlich und anpassungsfähig sein. Von Hündinnen wird behauptet, sie seien anschmiegsamer. Dafür muss man aber mit Nachwuchs rechnen. Mit etwa neun Monaten (und dann zweimal im Jahr) werden sie läufig. Sie versuchen in dieser Zeit auszureißen, um sich zu paaren. Weibliche Tiere können jedoch, ohne dass sie später leiden müssen, vom Tierarzt unfruchtbar gemacht werden. Rüden zeigen ihre Paarungsbereitschaft das ganze Jahr über, besonders aber, wenn eine läufige Hundedame in der Nähe ist.

Es ist nicht gleichgültig, in welchem Alter ein Hund in die Familie aufgenommen wird. Am günstigsten ist es, wenn er nicht älter als zwei bis drei Monate ist. In dieser Zeit lernt der Welpe auch in der Hundemeute, sich ein- oder unterzuordnen. Auch seine künftige Lernfreudigkeit wird nun festgelegt.

Fundtiere hoffen auf ein neues Zuhause.

Je mehr sich Frauchen oder Herrchen im ausgelassenen Spiel mit ihm beschäftigen, desto leichter gelingt es, ihn später zu erziehen oder gar abzurichten.

Zwar ist der Hund von Natur aus

Welches Futter braucht ein Hund?

ein Fleischfresser, doch selbst ein Raubtier in freier Wildbahn lebt keineswegs von Fleisch allein. Mit seiner Beute nimmt er zugleich deren Mageninhalt auf. Dieser setzt sich meist aus pflanzlichen Bestandteilen zusammen – aus Körnern, Gräsern oder Blättern. Damit deckt der Räuber seinen Bedarf an allen lebensnotwendigen Nährstoffen, wie Eiweiß, Fett, Kohlenhydraten, an Mineralstoffen und Vitaminen. Soll unser Hund lebensfroh und gesund bleiben, muss auch er all diese Stoffe erhalten und vollwertig ernährt werden.

Das ist heute kein Problem. Der Handel bietet eine Fülle von Fertigfutter in ausgewogener Zusammensetzung an. Natürlich können wir ihm auch eigens für ihn zubereitetes Futter geben. Gewürzte Speisen oder Reste von unseren Mahlzeiten,

Unterschiedliche Produkte sorgen für Abwechslung auf dem Speisezettel.

Wurstpellen oder Küchenabfälle sollte er aber nicht bekommen. Sie sind weder art- noch bedarfsgerecht. Zu heiße oder zu kalte Nahrung sollten wir ihm ebenfalls nicht geben. Er verschlingt alles sofort.

Mit Fertigpräparaten deckt man den Bedarf an Mineralstoffen. Es gibt zahlreiche Produkte in sehr unterschiedlicher Zusammensetzung. Wichtig ist das richtige Verhältnis von Kalzium und Phosphor. Über

Als Trinkgefäß eignet sich eine feste Keramikschüssel, die sich nicht so leicht wegschieben oder umwerfen lässt, am besten.

geeignete Mittel gibt der Tierarzt Auskunft. Seinen Durst stillt der Hund mit frischem Wasser. Vor allem wenn er Trockenfutter bekommt, muss er viel trinken.

Wie oft muss man Hunde täglich füttern?

Wie bei der Erziehung des Junghundes legt man auch bei seiner Ernährung Gewohnheiten für das ganze Leben fest. So ist es wichtig, dass wir ihm sein Futter täglich zur gleichen Zeit vorsetzen. Im Tagesablauf ist die Fütterung das bemerkenswerteste Ereignis. Er hat dafür ein sehr gutes Zeitgefühl. Auch soll er sein Futter stets an dem gleichen, ihm einmal zugewiesenen Platz erhalten. Beim Fressen will er ungestört sein. Den gefüllten Napf lassen wir 20 bis 30 Minuten stehen. Bleibt Futter übrig, nehmen wir es vor seinen Augen weg. Er wird bald begreifen, dass er es in dieser Zeit zu sich nehmen muss, will er nicht bis zur nächsten Mahlzeit hungrig bleiben.

Wenn der Hund satt ist, braucht er einen Verdauungsschlaf. Er hat dann keine Lust, herumzutoben oder spazieren zu gehen. Bis zum Alter von fünf Monaten bekommen Welpen mindestens vier Mahlzeiten pro Tag. Der noch kleine Hundemagen darf nicht überladen werden, und Hunde kennen oft nicht die Grenzen ihres Appetits. Die Anzahl der Mahlzeiten wird bis zur Vollendung des ersten Lebensjahres auf zwei verringert. Für einen erwachsenen Hund, der keine körperlichen Leistungen

HUNDEALTER

Wie jedes andere Lebewesen, so hat auch der Hund seine arteigene natürliche Lebenserwartung. Wir müssen uns daher damit abfinden, dass unser lieb gewonnener Vierbeiner schneller altert als wir Menschen. Dafür wird er aber auch schneller erwachsen. Im Durchschnitt werden Hunde 12 bis 13 Jahre alt, aber es gibt auch viele, die das 15. oder gar 16. Lebensjahr erreichen; 20 Jahre und darüber gelten als seltene Ausnahmen. Kleine Hunde werden häufig älter als Vertreter großer Hunderassen.

ALTERSVERGLEICH HUND – MENSCH

Hundealter	1	2	3	4	5	6	7	8	9	10	11	12	13	14	Jahre
Menschenalter	14	21	26	31	36	41	46	51	56	61	66	71	77	81	Jahre

Hundefell ist Wasser abweisend; daher müssen sich Hunde nach einem Marsch im Regen oder nach einem Bad im Teich nur schütteln und sind gleich wieder trocken. Trockenrubbeln und Bürsten fördert die Bindung an den betreuenden Menschen.

NACHTISCH

Süßigkeiten mögen viele Hunde. Allzu viel ist ungesund, denn sie machen dick. Hin und wieder etwas Hundeschokolade schadet jedoch nicht.

Mit Knochen muss man vorsichtig sein. Gibt man zu viel davon, kann dies eine üble Verstopfung zur Folge haben. Auch die Röhrenknochen von Geflügel oder Kaninchen sollten Hunde nicht bekommen. Sie splittern leicht und führen manchmal zu Verletzungen des Mauls oder der Speiseröhre. Gern beißen Hunde auch auf Büffellederknochen herum.

vollbringen muss, reicht eine einmalige Fütterung aus. Am besten zur Mittagszeit: Der Hund kann dann zu viel aufgenommene Flüssigkeit bis zum Abend ausscheiden und die wertvollen Bestandteile der Nahrung über Nacht verdauen.

Der Hund ist ein reinliches Tier und fühlt sich im Schmutz nicht wohl. Er wird auch kaum seine Notdurft auf seinem Lager verrichten, selbst wenn er den ganzen Tag angebunden vor einer Hütte liegt. Mit Eifer widmet er sich der Pflege seines Haarkleides. Die Zunge dient ihm dabei als Waschlappen. Mit Krallen und Zähnen wird das Fell entfilzt, von Kletten, Dornen oder kleinen Steinchen befreit und anschließend geglättet.

Wie pflegt sich ein Hund?

Die Haut des Vierbeiners ist auf natürliche Weise imprägniert. Durch die Absonderung von Talgdrüsen werden Haut und Haarschäfte mit einer feinen Fettschicht überzogen. Dieser fetthaltige Film wirkt Wasser abweisend und schützt das Tier gegen Nässe.

Wie oft man einen Hund baden soll, hängt hauptsächlich von der Beschaffenheit seines Haarkleides ab. Einen Malteser mit seinem langen weißen Fell wird man häufiger in die Wanne stecken müssen als einen kurzhaarigen Hund wie den Rehpinscher. Ein Bad in der Woche ist allerdings auch bei Langhaarigen oft schon des Guten zu viel. Entfetten wir nämlich das Haarkleid durch zu häufiges Einseifen, so verliert es seinen natürlichen Schutzfilm und wird umso schneller wieder schmutzig. Selbst bei Hunden

Wie oft darf ein Hund gebadet werden?

Allzu viel schadet nur. Nicht zu oft baden!

mit sehr üppigem Fell reicht ein Bad alle acht bis zwölf Wochen aus.

In Zoohandlungen und beim Tierarzt erhält man hautverträgliche Waschmittel für Hunde. Besonders geeignet sind rückfettende Shampoos. Beim Baden darf keine Seife in die Augen und kein Wasser in die Ohrmuscheln gelangen, sonst macht den Tieren das Bad keine Freude mehr. Nach dem Baden müssen Hunde, besonders in der kalten Jahreszeit, mehrere Stunden in der Wohnung bleiben.

Nützlicher als Baden ist für das Haarkleid tägliches Kämmen und Bürsten. Es trägt nicht nur zu seiner Sauberkeit bei, sondern regt die Durchblutung der Haut und damit das Haarwachstum an.

Kommen wir mit unserem Hund von der Straße nach Hause, dann reiben wir ihm mit einem trockenen Tuch seinen Bauch ab und entfernen den groben Schmutz, bevor wir zu Kamm und Bürste greifen. Alle Hunde empfinden solche Zuwendung als angenehm.

Die Krallen dürfen nicht zu lang werden. Das gilt vor allem für die „Daumen", die Zehen oberhalb der Pfoten an der Innenseite der Vordergliedmaßen. Da sie mit dem Boden nicht in Berührung kommen, nutzen sie sich kaum ab und wachsen deshalb häufig in die Haut ein. Zum Kürzen verwendet man eine Krallenzange. Aber Vorsicht: Man kann leicht zu viel abschneiden!

Wie pflegt man Krallen und Zähne?

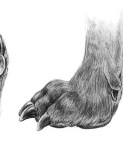

Hunde sind Zehengänger. Sie haben an den Vorderpfoten fünf Zehen. Die innere (erste) Zehe ist verkümmert und kommt mit dem Boden nicht in Berührung. An den Hinterpfoten fehlt sie meist. Ist sie doch ausgebildet, wird sie als Wolfs- oder Afterkralle bezeichnet. Hunde können sich beim Überspringen eines Hindernisses leicht daran verletzen. Deshalb wird sie oft schon im Welpenalter entfernt.

ERSTE HILFE BEI UNFÄLLEN

Eine der größten Gefahren für Hunde ist der Straßenverkehr. In Deutschland werden alljährlich zahllose Hunde angefahren oder überfahren. Eine andere Gefahrenquelle sind frei laufende Artgenossen. Je nach Temperament und Veranlagung verlaufen diese meist zufälligen Begegnungen friedlich oder es kommt zu mehr oder weniger heftigen Auseinandersetzungen. Nicht immer gehen Raufereien glimpflich aus und manchmal muss sogar die Hilfe eines Tierarztes in Anspruch genommen werden. Bei allen Unfällen ist es wichtig, die Ruhe zu bewahren und beruhigend auf das Tier einzuwirken.

Untersuchung beim Tierarzt

Ist er stark erregt oder steht er unter Schock, kann uns in dieser Ausnahmesituation sogar unser eigener Hund beißen. Infolge des Schocks besteht bei einem Hund nach einem Unfall die Tendenz, davonzulaufen. Als Erstes sollte man ihn daher anleinen und ihm anschließend den Fang zubinden.

Zum Zubinden eignet sich eine Mullbinde oder ein

Verletzte Tiere brauchen viel Ruhe und Geborgenheit.

Stoffgürtel, notfalls geht auch eine Krawatte oder eine Strumpfhose. Man bildet eine Schlinge, die man über die Schnauze streift. Die Enden werden unter dem Kinn gekreuzt, fest zugezogen und am Unterkiefer entlang bis zum Nacken geführt. Dort macht man hinter den Ohren eine Schleife, die man im Notfall (bei Atemnot oder Erbrechen) schnell wieder lösen kann. Kurznasige Hunde, die oft schon normalerweise Schwierigkeiten mit der Atmung haben, bindet man besser nicht zu.

Nur wenn ein Tierarzt nicht zu erreichen ist, können Verletzungen erst einmal provisorisch versorgt werden. Eine blutende Wunde wird man mit einem gut gepolsterten Druckverband versehen und den betroffenen Körperteil hochlagern. Schmutzgefährdete Verletzungen werden mit keimfreiem Verbandsmaterial abgedeckt. Wichtig ist der unverzügliche Transport zum Tierarzt. Selbst wenn man dem Hund äußerlich nichts ansieht, können doch innere Verletzungen vorliegen. Besondere Eile ist geboten, wenn sich das Tier nicht mehr bewegt oder bewusstlos ist. In den meisten deutschen Städten gibt es Tierrettungsdienste, die man über Notruf anfordern kann.

OHRENZWANG

Von Zeit zu Zeit müssen wir nachsehen, ob die Ohrmuscheln des Hundes trocken und sauber sind. Hierfür verwendet man Wattestäbchen. Gesunde Ohren sondern so gut wie nichts ab. Stärkere Absonderungen von Ohrenschmalz, Schütteln des Kopfes und Kratzen hinter den Ohren sind Zeichen, dass sie nicht in Ordnung sind. Ohrenzwang nennen Tierärzte die Entzündung des äußeren Gehörgangs. Bei Hunden mit Schlappohren wird sie häufig durch Spelzen oder Grannen von Gräsern ausgelöst, die beim Toben auf einer Wiese in die Ohren gelangen.

Liebevolle, spielerische Erziehung macht Hunden sogar Spaß.

Unser vierbeiniger Freund wechselt mit drei bis fünf Monaten seine ersten Zähne, das Milchgebiss. Von nun an muss er mit den 42 Zähnen auskommen, die ihm die Natur für sein Hundeleben mitgegeben hat. Mit „dritten Zähnen" kann er, im Gegensatz zu uns Menschen, nicht rechnen. Das ist auch weiter nicht schlimm, denn Zahnfäule, die unsere Zähne bedroht, kommt bei Hunden nur selten vor. Wir könnten also unbesorgt sein, gäbe es nicht den Zahnstein. Er ist mehr als nur ein Schönheitsfehler.

Zahnstein ist nicht nur die Ursache von üblem Mundgeruch, weil sich Speisereste daran festsetzen, sondern er schiebt sich auch unter das Zahnfleisch und lockert die Zähne. Vor allem die Zwerge unter den Hunden, die Yorkies und Chihuahuas beispielsweise, büßen dadurch oftmals schon sehr früh ihre ansonsten kerngesunden Zähne ein. Das muss jedoch nicht sein!

Es mag belustigend klingen, aber auch Hunden kann man die Zähne putzen. Daran sollte man sie von klein auf gewöhnen. Da es eine magenverträgliche, nicht schäumende und gut schmeckende Zahnpasta speziell für Hunde gibt, ist das Zähneputzen für unseren Vierbeiner nicht unangenehm und man vermeidet dabei hohe Tierarztkosten!

Was muss ein junger Hund zuerst lernen?

Der Spruch „Was Hänschen nicht lernt, lernt Hans nimmermehr" gilt auch für den Hund. Seine Erziehung beginnt daher bereits in der Kinderstube. Sobald der kleine Kerl in die Familie aufgenommen worden ist, muss er lernen, sein Lager und die Wohnung sauber zu halten und sein „Geschäft" nur im Freien zu verrichten. Ihm Stubenreinheit beizubringen ist gar nicht so schwierig. Man darf nur nicht die Geduld verlieren, wenn es nicht gleich klappt. Vor allem muss man auf sein Verhalten achten.

In der Hundeschule lernen unsere Vierbeiner wichtige Befehle und haben Kontakt mit Artgenossen.

Durch Winseln, Unruhe und Drehen im Kreis kündet ein Welpe sein dringendes Bedürfnis an. Dann heißt es schnell handeln, ihn auf den Arm nehmen und nach draußen bringen, auch wenn es gerade regnet oder wir ganz oben in einem Haus ohne Fahrstuhl wohnen. Vor allem nach dem Fressen wollen sich Hunde „lösen", das bedeutet Blase und Darm entleeren. Aber auch am frühen Morgen und abends, bevor wir ins Bett gehen, müssen sie ausgeführt werden. Ein Hund ist deshalb nichts für Bequeme! Er hält die Familie den ganzen Tag auf Trab –

auch dich, wenn du möchtest, dass er sich besonders an dich gewöhnt. Du gehst mit ihm möglichst immer an die gleiche Stelle, einen Baum, einen Strauch oder eine Grünfläche, auch wenn dazu ein längerer Fußmarsch nötig ist. In manchen Städten haben umweltfreundliche Stadtväter Hundeklos einrichten lassen, denn Hunde verrichten gern dort ihre Notdurft, wo sich auch ihre Artgenossen „verewigen".

Auch die Gewöhnung ans Autofahren gehört zum Lehrplan eines Hundes.

Doch die Erziehung zur Stubenreinheit ist erst der Anfang seiner Lehrzeit. Von einem braven Hund wird noch sehr viel mehr erwartet. Er muss lernen, an der Leine zu laufen, sofort auf Zuruf zu kommen, geduldig vor einem Geschäft zu warten, keinem vorbeifahrenden Radfahrer nachzujagen und auch nicht den Briefträger an den Hosenbeinen zu packen. Trotz allen Lernens darf das Spiel nicht zu kurz kommen. In der Hundemeute sind die Artgenossen seine Spielgefährten. In der Familie treten die Kinder und auch die Eltern an ihre Stelle, und im fröhlichen Spiel merkt der vierbeinige Freund nicht einmal, dass er erzogen wird.

Wann ist Lob und wann Tadel angebracht?

Angenehme oder unangenehme Eindrücke prägen sich einem Hund, besonders einem Welpen, nachhaltig ein und spielen deshalb bei seiner Erziehung eine wichtige Rolle. Wir loben und liebkosen ihn, wenn er gehorsam ist; wir tadeln und bestrafen ihn, wenn er nicht gehorcht oder etwas Unerwünschtes tut. Tadel erfüllt aber nur dann seinen Zweck, wenn er „auf frischer Tat" erfolgt. Es ist unsinnig, den Vierbeiner für etwas zu bestrafen, das bereits einige Zeit, und sei es auch nur eine halbe Stunde, zurückliegt. Ein Hund beispielsweise, der weggelaufen ist und sich erst nach Stunden wieder zu Hause einfindet, begreift nicht, dass er deshalb getadelt wird. Er nimmt an, wir sind ärgerlich, weil er zurückgekehrt ist. Hundelogik ist nicht Menschenlogik!

Besser als ständiges Tadeln ist häufiges Loben und liebevolles Streicheln. War er besonders brav und hat aufs Wort gehorcht, so bekommt er ausnahmsweise außerhalb der gewohnten Fütterungszeiten ein Belohnungshäppchen.

Mit unangebrachter Strenge oder gar mit Schlägen schüchtern wir unseren Hund ein. So gewinnen wir niemals sein Vertrauen, ohne das es keine richtige Freundschaft gibt. Bei kleinen Vergehen genügt es meist, wenn wir kräftig und bestimmt „Pfui!" rufen. Hat er eine Strafe verdient, weil er überhaupt nicht auf uns hört, so dürfen wir ihn schon einmal am Nackenfell packen und ihn kurz kräftig schütteln. Eine Hundemutter macht es mit einem aufmüpfigen Hundekind ebenso.

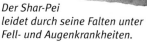

EXTREME ZÜCHTUNGEN

Der Mensch schuf sich den Hund nach seinen Vorstellungen. Dabei spielten neben Zweckmäßigkeit häufig Mode und Schönheitsempfinden eine Rolle. Doch nicht alles, was gefällt, dient auch dem Wohlbefinden des Vierbeiners. Das Tierschutzgesetz legt unter anderem fest, dass nicht mit Tieren gezüchtet werden darf, deren vererbte Merkmale bei den Nachkommen Schmerzen, Leiden oder Schäden bewirken können.

Der Shar-Pei leidet durch seine Falten unter Fell- und Augenkrankheiten.

Kurznasige Hunderassen wie diese Bulldogge leiden häufig unter Atemnot und verformten Gebissen.
Der Mexikanische Nackthund braucht ständig Wärme. Er kann nicht wie andere Hunde bei Wind und Wetter herumtoben.

HUNDEAUSSTELLUNGEN UND WETTBEWERBE

Agility-Training macht vielen Hunden Spaß.

Einige Hundeliebhaber betrachten Hundeausstellungen als Jahrmärkte der Eitel-
keiten, wobei sie wohl mehr die Zweibei-
ner als die Vierbeiner im Blickfeld haben.
Dieser Eindruck kann leicht entstehen,
wenn man die Vorbereitungen der Tiere
auf die Schau verfolgt oder sie beim
Schaulaufen zusammen mit ihrem Besitzer im Ring beobachtet. Bei manchem
Paar fragt man sich, wer bewer-
tet werden soll – der herausge-
putzte Hund mit Schleifchen im
Schopf oder sein modisch ge-
styltes Frauchen. Etwas Show ist
immer dabei! Dann gibt es aber
auch Hundefreunde, die Ausstellungen für Tierquälerei halten,
im Übrigen keinen Wert auf Abstammung und Ahnentafel legen
und ihren Hund ohnehin für den
schönsten halten.
Passionierte Züchter von Rassehunden sehen das aus einer anderen Perspektive. Auf Ausstellungen haben sie Gelegenheit,
ihre Zuchtprodukte einem sach-
kundigen Richter vorzuführen.
Dieser stellt fest, ob der Hund
dem Zuchtziel seiner Rasse entspricht. Das Zuchtziel liegt einem
Standard zugrunde und ist das

Idealbild einer Hunderasse. Aber es
geht nicht nur um Schönheit und kör-
perliche Vollkommenheit, sondern auch
um die Fähigkeit zu bestimmten Leistungen. Das betrifft vor allem die Dienst-,
Schutz- und Jagdhunde. Sie müssen nach
feststehenden Regeln Leistungsprüfun-
gen ablegen.
Es werden alljährlich eine Vielzahl verschiedener Ausstellungen auf lokaler
oder überregionaler Ebene durchgeführt.
An Spezialausstellungen und Sonder-
schauen nehmen nur Hunde einer Rasse
oder Rassengruppe teil. Einmal im Jahr
findet die Bundessiegerausstellung statt,

*Wettbewerbe brin-
gen Men-
schen aus
aller Welt zu-
sammen.*

auf der die besten Hunde der einzelnen
Rassen den Titel „Deutscher Bundes-
sieger" erhalten. Darüber hinaus gibt
es noch internationale Ausstellungen.
An diesen dürfen alle
Rassen teilnehmen, die
von dem internationa-
len Dachverband des
Hundesports, dem FCI
(Federation Cynolo-
gique Internationale),
anerkannt sind. Dieser
legt auch die Rasse-
standards fest und ent-
scheidet über die Ver-
gabe der Siegertitel.
Das bedeutendste
Ereignis ist die Welt-
hundeausstellung. Sie wird zusammen
mit dem kynologischen Weltkongress
durchgeführt. Es ist eine Wanderausstel-
lung, die jedes Jahr in einem anderen
Land veranstaltet wird. Auf ihr wird als
höchste erreichbare Auszeichnung für jede Rasse der Titel „Weltsieger" vergeben.

*Hundeausstellungen
haben in vielen Ländern
eine lange Tradition.*

*Dieser Jack-Russell-Terrier hat
schon viele Preise gewonnen.*

Glossar

Aalstrich Dunkler Streifen auf dem Rücken, vom Widerrist bis zum Rutenansatz reichend; ein Wildtiermerkmal.

Abzeichen Einzelne andersfarbige, meist hellere Flecken am Kopf, am Körper, an den Gliedmaßen und/oder der Rute.

Apfelkopf Runder Kopf der Zwerghunde.

Behang Bezeichnung für Hängeohren, vor allem bei Jagdhunden.

Fahne Fransenartige, lange Haare der Rute. Kennzeichnend für Setter.

Fang Schnauze des Hundes.

Geläut Das Bellen mehrerer Jagdhunde, wenn sie Wild hetzen.

Gestromt Schwarze Querstreifen auf hellerem Fell, beispielsweise bei manchen Boxern.

Hitze Anderer Ausdruck für Läufigkeit. Darunter versteht man die Brunstzeit der Hündin.

Kruppe Hinterster Teil des Rückens; vom Ende der Lendenwirbelsäule bis zum Rutenansatz reichend.

Maske Von der Grundfarbe sich abhebender, meist dunkel gefärbter Gesichtsteil des Hundes.

Platten Große, andersfarbige Flecken im Fell.

Ramsnase Gewölbter Nasenrücken; kennzeichnend für Bullterrier.

Schlag Eine Gruppe von Hunden, die innerhalb ihrer eigenen Rasse zusätzliche gemeinsame Merkmale haben.

Staupe Häufigste Viruskrankheit des Hundes. Lebensbedrohlich, für den Menschen aber nicht ansteckend. Durch rechtzeitige und regelmäßige Impfung vermeidbar.

Stop Stirnabsatz, Einbuchtung zwischen Stirn und Nasenrücken. Kennzeichnend für Boxer, Japan Chin und Pekinese.

Tollwut Gefährlichste ansteckende Krankheit des Hundes. Für Tier und Mensch tödliche Viruserkrankung. Sicherste Vorbeugungsmaßnahme sind regelmäßige Impfungen.

Vorbiss Die Schneidezähne des Unterkiefers stehen vor denen des Oberkiefers, auch Hechtgebiss genannt. Kennzeichnend für Boxer, Bulldogge, Pekinese u.a.

Wamme Lockere, am Hals herabhängende Haut. Kennzeichnend für Bloodhound und Basset.

Widerrist Höchster vorderer Punkt der Wirbelsäule, zwischen den Schulterblättern gelegen. Die Größe eines Hundes wird am Widerrist gemessen.

Wurf Alle Welpen einer Geburt.

Internetadressen

Wenn du weitere Informationen rund um Hunde suchst, kannst du zum Beispiel diese Internetadressen ansteuern.

Diese Suchmaschinen sind ganz auf unsere vierbeinigen Freunde eingestellt und laden zum Stöbern ein: **www.dogfinder.ch** und **www.hunde.com**.

Bei den Kinderportalen **www.wasistwas.de** und **www.milkmoon.de** oder **www.blindekuh.de** und **www.geolino.de** liefern Suchanfragen zum Thema Hund zahlreiche Links zu verschiedenen Bereichen wie Rassen, Tierpflege, Erziehungstipps, Reportagen zu berühmten Hunden aus aller Welt und mehr.

Grundlegende Informationen und Basiswissen über Rassestandards, Tierpflege, Ausbildung und Ernährung geben die Internetseiten **www.hund.ch**, **www.hunderassen.de** oder **www.tierwissen.de**. Auf vielen Webseiten kann man andere Hundebesitzer und Tierärzte über die richtige Pflege und Ernährung befragen und lernen, woran man erkennt, ob dem eigenen Vierbeiner etwas fehlt, zum Beispiel unter dem Link **www.winkvet.at/tierarzt**. Wenn dein Tier ernsthaft krank wird, solltest du natürlich zum richtigen Tierarzt gehen.

Unter **www.dogs-corner.de** erzählt eine blinde Frau von ihrem Zusammenleben mit ihrem Führhund Hardy.

Viel Wissenswertes über den Vorfahren unserer Haushunde, den Wolf, findest du unter **www.wolf-kinderclub.de**.

Natürlich gibt es auch zahlreiche interessante Seiten zu ganz bestimmten Hunderassen, wie **www.dtk1888.de** (Dachshunde) oder **www.terrier.de** und viele weitere. Bei **www.schafscheucher.de** findest du Informationen über Border Collies und andere Hütehunde.

Viel Spaß beim Surfen und Weiterschmökern!

Leider verändern sich Internetadressen oft sehr schnell. Daher kann der Verlag keine Gewähr für die Inhalte dieser Adressen übernehmen.

Index

WAS IST WAS BAND 71 **Piraten**

WAS IST WAS BAND 72 **Heimtiere**

WAS IST WAS BAND 73 **Spinnen**

WAS IST WAS BAND 74 **Natur-katastrophen**

WAS IST WAS BAND 75 **Fahnen und Flaggen**

WAS IST WAS BAND 76 **Die Sonn**

WAS IST WAS BAND 83 **Höhlen**

WAS IST WAS BAND 84 **Mumien** aus aller Welt

WAS IST WAS BAND 85 **Wale** und **Delfine**

WAS IST WAS BAND 86 **Elefanten**

WAS IST WAS BAND 87 **Türme** und **Wolkenkratzer**

WAS IST WAS BAND 88 **RITTE**

WAS IST WAS BAND 95 **Haie** und **Rochen**

WAS IST WAS BAND 96 **Schatzsuche**

WAS IST WAS BAND 97 **Zauberer, Hexen** und **Magie**

WAS IST WAS BAND 98 **Kriminalistik**

WAS IST WAS BAND 99 **Sternbilder** und **Sternzeichen**

WAS IST WAS BAND 100 **MULTIMED** und virtuelle We

WAS IST WAS BAND 107 **Pinguine**

WAS IST WAS BAND 108 **Das Gehirn**

WAS IST WAS BAND 109 **Das alte China**

WAS IST WAS BAND 110 **Tiere im Zoo**

WAS IST WAS BAND 111 **Die Gene**

WAS IST WAS BAND 112 **Fernseh**

WAS IST WAS BAND 119 **Gebirge**

WAS IST WAS BAND 120 **POLIZEI**

WAS IST WAS BAND 121 **Schlangen**

WAS IST WAS BAND 122 **Bionik**

WAS IST WAS BAND 123 **Päpste**

WAS IST WAS BAND 124 **Bergba** Schätze der Erde